Ⓢ新潮新書

中野信子　デーブ・スペクター
NAKANO Nobuko　*Dave Spector*

ニッポンの闇

1014

新潮社

はじめに

デーブ・スペクター

『ニッポンの闇』ってすごいタイトルですよね。

中野さんが『脳の闇』という本を出してベストセラーになったというのもありますけど、この対談のテーマは日本の「コンプライアンス」、「忖度」、「タブー」です。そういったもののおかげで最近、「みんなうすうすわかっているはずなのに、誰も触れないもの」が増えている気がしませんか？　政治の世界もメディアや芸能の世界も宗教の世界も、あるいは大企業だって町内会だって同じじゃないかと思います。いろんなことに「フタ」をして、見て見ぬフリをしてきたことで、かつて元気だった「ニッポン」は、その勢いを失ってしまったように僕の目には映ります。

僕が初めて来た頃の日本はすごかった。

テレビのバラエティは今から考えればムチャクチャだったし、「コンプラ」なんて影も形もなかった。背広を着てかっちりネクタイしめた「サラリーマン」たちが「24時間戦えますか?」とかって言いながらバリバリ働いてて、町中にはランドセルを背負った子供たちがうるさいくらいに駆け回ってた。

日本は思いやりの国でもあるけれど、それは同時に「忖度」を大事にするということでもある。乱暴に言ってしまえば、「コンプライアンス」とは建前のこと。建前を楯にして、本音は隠して、「忖度」することで肝心なことに触れない。だから「タブー」が広がってしまう……日本人のそんなあり方は実は昔から変わっていないのかもしれないけれど、でも今ではずいぶん、「触れてはいけない」領域が広がってしまっていないでしょうか。

それって「ニッポンの闇」じゃないですか?

なんでちゃんと触れたり、調べたり、議論したりしないのかな。そこもまたおもしろい国だなと思いますけど、でも、ニッポン、このままで大丈夫?

そんなことを思っていた時に、ちょうど中野さんとある人との対談の本を読みました。

僕が最後の本を出してから10年以上が経っています。

『いつも心にクールギャグを』という、東日本大震災後も続けていたダジャレのツイートを一冊にまとめたものが最後でした。震災直後の落ち込んだ日本人の気持ちを、少しでも明るくできないか。そういう思いから続けていたツイートをまとめるのは意味があると思ったからなのですが、以後は出版界とは距離を取っていました。労多くして功少なし。日本の社会は「老多くして子少なし」だけどね。関係ないか。手間の割に売れないし、インパクトも弱い。僕はけっこう真剣に意見を言っているつもりなのですけど、どうもうまく伝わらない。テレビの世界でバラエティからコメンテーターにシフトしていったのも同じ頃かもしれません。

だけど中野信子さんの対談本を読んでみて、この形ならいいかもしれないと思ったのですね。中野さんと議論を深められるし。

中野さんとはテレビ朝日の『ワイド！スクランブル』という番組でご一緒して長いです。頭はいいし、はっきりものを言うし、おもしろい。スタジオにいてもCM中とかちょっとした隙間の時間があればノートPCを開いて原稿を書いたり直したり。とにかく忙しくしている人ですが、話せば脳科学に限らず、いろんな角度からものごとを見ていることがわかります。日本の社会の中では僕は「ガイジン」、中野さんは「脳科学者」、どっちも少数派で異端かもしれない。でもだからこそ忖度なんてないし、中野さんとだったらテレビでは時間の関係で話せないような深いこともお互い言い合えるんじゃないか。そう思ったわけです。

やってみたらやっぱりギャグが出ちゃうんですけどね。思いついちゃうんですよね。思いついたら言いたくなっちゃう。それはしょうがないよね。

だからこの本にもちょこちょこギャグが入ってしまってますけど、それは許してください。けっこう大事なことは言っているつもりですし、中野さんと意見の合わないところもあるけれど、そこもちゃんと残してあります。

ジャニーズの問題でも統一教会の問題でもそうですが、どれだけ一生懸命「フタ」をしていても、いつかそのフタは開くことがある。それは日本でも世界でも変わらない。

そのときテレビをはじめとするマスメディアの力は大きいと思うし、僕たちはそこでものを言う人間として、忖度なしに発言するのと同時に、メディアの重要性を伝え、メディア自体の信頼性を高めていかなきゃいけないとも思うんですね。

それが「闇」を払うことにつながるんじゃないかと思うからです。

ニッポンの闇†目次

はじめに——デーブ・スペクター　3

第一章　メディアとタブー　11

第一章　メディアとタブー

「ジャニーズ問題」

中野　日本のテレビの世界は忖度だらけってよくデーブさん言いますけど、その最たる例と言っていい問題が……。

デーブ　ああ、「ジャニーズ問題」ね。

中野　芸能界で40年生きてきたデーブさんに読者が聞きたいことって2つあると思うんですよね。ひとつはデーブさんだけが知る裏話、裏事情。

デーブ　そりゃあるけどこういうとこでは言えないよね。言えたら裏じゃないもん。

中野　まあ、裏が取れてる話なら報道されてるし、真偽定かならぬ話だから表に出せないわけですしね。とはいえジャニー喜多川氏の件も、だからこそ表面化しなかったわけですが。刑事事件の犯人じゃないし、あえて「氏」と呼びますけどね。

デーブ　まあいいんじゃない？　この本では基本、「敬称略」で。ジャニーとジャニーズ事務所がジャニーの「ホモセクハラ」を報じた週刊文春を名誉毀損で訴えたじゃないですか。それで最高裁でジャニーの性加害が確定したのが２００４年か。その時、誰がどんなことされたとかいろんな話が法廷で出たけど、それすら日本の大手メディアはろくに報じなかったものね。東スポと日刊ゲンダイはやったけど。

中野　話逸れますけど「性加害」って言葉も不思議ですよね。「性被害」ならともかく。

デーブ　聞いたことない言葉だよね。ふつう「性暴力」「性的虐待」でしょ。

中野　で、なんかないんですか、言えること。

デーブ　いろいろ聞いてますけどね、裏取れてないから。まずいでしょ。手を出されるのがイヤになって○○と××がジーンズ二重に穿いて諦めさせたとかっておっかしいでしょ？　そんな話はいくらでもあるけど、でも誰も確かめようがない。確かめられます？　本人に、ジーンズ二重に穿いてたの？って。

中野　芸能ニュースってそういうところありますよね。誰と誰が付き合ってるとか、不倫してるとか、どうやって確かめるんだと。

デーブ　いわゆる「報道」と違うのはそこだよね。二人でホテルに入っていったとか、どっちかの部屋に行ってひと晩過ごしたとか、状況証拠しかない。実際なにやってるとかは確かめようがない。

中野　ひと晩中、ゲームしてましたとかね。

デーブ　いい雰囲気の男と女が密室でそんなことしてるかい！って思うけどね。ただこれは有名な話だけど、昔、某大物女性アイドルが愛人とホテルで密会してるってのを写真週刊誌のFOCUSがつかんで、二人でいるところも撮った。ホテルでの写真も撮った。でもほんとにエッチなんかしてるのか？ってのでホテルの隣の部屋を確保して、コップを壁に当てて、やりとりを聞いて確認したって話があるんですよね。

中野　そこまでやるか。

デーブ　そこまでやれば「裏が取れた」って言えるだろうし、報道と言えるだろうけど、普通はそこまでしないし、今のホテル、そんなんで音聞こえたら困るよ。

中野　まあでもだからこそ曖昧なまま、うやむやなまま、ジャニーズ事務所は指弾されることもなくきちゃったわけですよね。

デーブ　ただ、どこのメディアも最高裁の結果くらいはきちんと報じるべきだったでしょ。そこはもうメディア側の忖度だよね。あるいは事務所の力。

中野　時代的なこともあったんですかね。今ほどセクハラだパワハラだに厳しくないとか、男性の性被害に関心が薄かったとか。

デーブ　それもあったかもね。コンプライアンスって言葉自体一般的じゃなかったし、女性が性被害を受けた場合と違って、男性の場合、そのこと自体を笑い話にしてしまったり、周囲も「しょせんいたずらでしょ」って見なしてしまったりということもあったかもしれない。ＮＨＫの『クローズアップ現代』が当時の検証を行っていましたけど、元司法担当デスクという人がそういう趣旨のことを言っていますよね。「男性の性被害の問題に関心が低かった。問題視すべきという認識がなかった」って。

中野　そういう経験を「武勇伝」みたいにしちゃう人もいれば、深刻なトラウマになってしまう人もいる。個人差もさまざまだから、なおさら表に出しづらいということもあったのかもしれない。

デーブ　一方で「枕営業」みたいな言葉もあるしね。実際、そうやって芸能界で自分の居場所を作るきっかけにする人もいる。男性だって女性だって、誰とは言えないけど。

しかもそれって別に芸能界に限ったことじゃないし、日本に限ったことでもない。ただ、この問題がおぞましいし、深刻なのは、相手が未成年だってことですよ。子供相手だったってこと。それはね、人生を変えてしまうくらい大きなことで、そこはほんとに罪ですよ。

中野　しかもそれが何百人、もしかしたら4桁になるかもしれない。

デーブ　きちんと報じられていたら、ジャニーの行為も止まって、そこまでの被害は出なかったかもしれない。そこはやっぱりメディアの罪だし、検証しないといけない。

中野　これはジャニーズの問題に限らないですけれど、児童の性的被害の問題って日本ははけっこう深刻なんですよ。1999年の日本性科学情報センターによる日本で初めての大規模調査（『子どもと家族の心と健康』調査報告書）では18歳未満の女子の39・4%、男子でも10%が性的被害を受けているっていうんですね。13歳未満でも女子の15・6%、男子の5・7%が被害に遭っている。性的被害の影響としてはPTSD、解離性同一性障害をはじめとする精神疾患、自殺念慮、薬物濫用などが指摘されていて、性的被害を告発した元ジャニーズのメンバーにもそうしたことを告白している人もいましたから、その人の人生に及ぼした影響は計り知れないですよね。

デーブ　ジャニーの場合、同性からの被害だしね。自分の性的指向がわからなくなってしまう人もいるかもしれないし、性暴力を「魂の殺人」と言う人もいる。イギリスのBBCでも、有名番組の人気司会者による少年、少女への性的虐待が発覚したんですが、これも被害者が70人以上ですよ？　ひどい話です。2011年にその司会者は亡くなってるんだけど、BBCは徹底的に検証しましたよね。

「ネット裁判所」の威力

中野　2004年当時は騒がれなかったのに、今回は大騒動になったのは日本のそういうコンプライアンスに対する意識が変わったからだと思います？　それともBBCが放送したドキュメンタリー『J－POPの捕食者：秘められたスキャンダル』でなにか新しい事実が報じられたからとかなんですかね？

デーブ　BBCの番組の影響は大きかったけど、とりわけ新しいことは出てないですよね。むしろ大きかったのはYouTubeで元ジャニーズJr.のカウアン・オカモトが告白したことだったり、ネットの「世論」だったかもね。ホリエモン（堀江貴文）、ひろゆき（西村博之）、成田悠輔の3人も大きかったんじゃないかかな。ジャニーズ事務所の姿勢を強く批判したから。「ジャニーズ帝国」はテレビや新聞、出版も含む各メディアに強い影響力を持っていて、世論を誘導していた面があるけれど、さすがのジャニーズも〝ネット裁判所〟まではコントロールできなかった。そこが大きいんじゃないですかね。

中野　デーブさんもものすごい数、記事出てましたもんね。

デーブ　取材いっぱい来た。

中野　ネット記事やSNSの影響力の大きさって海外も同じですよね。#MeToo 運動もそうだったじゃないですか。あれはニューヨーク・タイムズによるハリウッドの大物プロデューサー、ハーヴェイ・ワインスタインの性暴力、セクハラ疑惑報道がきっかけで始まりましたけど、ツイッター（現・X）のハッシュタグが猛威を揮った。ワインスタインの件だけに留まらず、女性に対する男性のレイプやセクハラが多数告発されて。

デーブ　ちょうどジャニーズ問題の頃、イギリスやアメリカでは人気コメディアンのラッセル・ブランドの性的暴行疑惑が浮上して、大問題になってたんですけどね。

中野　ケイティ・ペリーの元夫。

デーブ　そう。ジャニーズ問題ではジャニー喜多川がもう亡くなってるから、彼自身の刑事責任も民事責任も問えないけど、ブランドはロンドン警視庁が捜査しているんですよね。ここでも「ネット裁判所」の影響がとても大きい。本来まだ捜査段階だし、そういう意味では「推定無罪」なんだけど、ブランドは徹底的に叩かれてる。

ジャニーズと忖度

中野　デーブさんにもうひとつ聞きたいことは、こういう問題が起きた日本の芸能界とかメディアの構造ですよね。日米の違いとか。

デーブ　日本の芸能界はタレントより事務所が力を持ってますからねえ。ジャニーズ事務所に所属していれば仕事ができて、芸能界で成功できる。そういう力関係ですよね。つまり、タレントよりジャニーのほうが強いから止められなかった。この問題には未成年に対する性虐待という側面と同時に、芸能界のパワハラ、セクハラという面があるわけですよね。

中野　これがこと「未成年」って問題に限らなければ……。

デーブ　テレビでも映画でも音楽でもどこの業界でもありうる話で、広告代理店だろうが出版社だろうが上場企業でも中小企業でも、言ってしまえば男でも女でもありうることで、さらに言えば世界中どこでもある話でしょう?

中野　権力と性がある限り。

デーブ　そう、だからといって許されてはならないし、この問題がこれ以上広がらないようにヒヤヒヤしてる人も実はけっこういるんじゃないかと思ったりするんだけど。

中野　「アメリカのシステムを参考にすべき」って言う人もいますよね。

デーブ　それは絶対に無理でしょ。まず、アメリカではドラマでもバラエティでも、よっぽどでない限り必ずオーディションで出演者が選ばれるんですよね。公平公正な選出が保証されてて、キャスティング担当は監督やプロデューサーの意向しか考慮しない。監督やプロデューサーに権限が集中する面はあるけど、日本のテレビ局みたいに「大手芸能事務所への忖度」なんかない。

中野　そうか。タレントがエージェントより強いわけだから。

デーブ　仕事ごとにその人の領域がちゃんと決まってて、キャスティングする人もほとんど The Casting Society of America って組合に入ってるし、プロとして誇りを持ってる。映画のクレジットでキャスティング・ディレクターの名前の後にＣＳＡってあるでしょ？　あれですよ。

中野　不祥事起こしたら、組合にいられなくなって仕事もなくなると。

デーブ　日本みたいに、ジャニーズ事務所に文句言ったらタレントが出演してくれなくなるとかそういう心配をする必要がない。

中野　だから「ジャニーズ問題」をワイドショーなどが長年、取り上げられなかったわけですもんね。

デーブ　メディア各社に「ジャニ担」と呼ばれるジャニーズ事務所の窓口担当がいて、そこを通してしか交渉ができない仕組みになってたから、社内のどこの部署でも勝手に報じたりしたら「タレントを引き上げる」ってことになる。それが怖いから報じられない。

中野　「ジャニーズ帝国」になっちゃうし、忖度もそりゃ生じると。

デーブ　アメリカの場合は例えばテレビ局の中で全部の番組を何もかも作っているわけじゃないんですよ。だからニュースとして報じるとすれば止めようがない。日本の場合は制作が一部外部であっても、基本的に全部局が作ってるでしょ。だからトップダウンで「ジャニーズには触れるな」ってなったらそうなっちゃう。ほんとそこは反省しないといけない。

デーブ・スペクターとは何者か

中野 この話続ける前に、そもそもからすると、デーブさんって昔、CIA［アメリカ中央情報局］のエージェントだって言われてましたよね。

デーブ 大昔ね。

中野 海外情勢はもちろんだけど、芸能界の情報もなんでそんなこと知っているんだろうと驚いているとギャグでうやむやにしてしまうし、またそれが本物感を強めているような……。生放送中もネットにつながっていないとそわそわしていて、いつもスマホとかタブレットでなにかしらチェックしてますよね。

デーブ それはそう。もうずっとそればっかりですよ。24時間やってる。

中野 24時間？ 寝ないんですか？

デーブ 寝ますよ。寝るけど、新しい人がテレビに出てると、誰？ この人？って、もう調べまくるっていうね、そんなことばっかしてる。

中野 私のことも調べられまくっているわけですね。デーブさんとよくやり取りするようになったのは『ワイド！スクランブル』のレギュラー出演曜日が同じになってからですけど、とにかく人脈が広いし、新しい人を見つけると好奇心旺盛で本当に調べまくるという感じですよね。フワちゃんに注目したのも早かったですね。橋下徹さんを見出したのはデーブさんだったっていうのは、奥さんが本で書いていらっしゃいますね。タレントや芸能界に関する情報や人脈がとにかく広くて深いので、本当に特殊機関の人なのかな？って私ですら思いましたよ。日本に来て何年ですか？

デーブ　んー。結婚して日本に来てからだと40年超えたかな。

中野　デーブさんの仕事場は、ものすごく整理されてはいるんですが、ごく小さなものから、よくこんなものまで取ってあると驚くほど、資料の山なんですよね。新聞から紙のファイルから昔のテレビ局で使ってたようなごついビデオテープから……壁面いっぱいのキャビネットに部屋の天井までびっしり。特殊機関説を裏付けるのに充分な資料の物量ですよ。

デーブ　好きなんですよね、とにかく。調べるのが。うちの会社［スペクター・コミュニケーションズ。デーブ・スペクターが１９８８年に設立した、テレビ番組の企画・制作、海外番組及び海外映像・写真等の買付販売、タレントマネージメント等を行う会社］の会議室見ました？　日本のテレビ各局とアメリカの三大ネットワーク、あとはＣＮＮやＦＯＸニュースが流しっぱなしになってるの。便利ですよ、いっぺんに見られて。海外の新聞も今はタブレットで読めるでしょ。２台持ち歩いて新聞読む用と検索用にしてる。

中野　日本語でも読みますもんね。あんまり日本語がうますぎるから「埼玉県出身」と東スポにすっぱ抜かれたり、実は英語が苦手って言われたり。英検三級落ちた説もあるんですよね？

デーブ　一級ですよ、落ちたのは！　しかもそれ、番組の企画ですよ？　後でちゃんと自分で取りましたよ。だから僕は英検一級持ってるの。

中野　ふふふ。その負けず嫌いな一面も実はデーブさんのキャラとして愛すべきところですよね。仕事のメインって何になるんですか？　来日された時は三大ネットワークのＡＢＣの番組プロデューサーだったんですよね。でも、厳密に言えば、最初の来日は上智大学に留学した時になりますかね。

デーブ　最初は友達と遊びに来たんですよ。日本のマンガ教えてくれて、日本語を学ぶきっかけくれた菅野渡くんって友達の家族と。２週間くらいいたかな。２度目が留学。１９７２年。その時は1年ちょっとでシカゴに戻ってテレビの仕事しようと思って帰って、ロサンジェルスでワイフになった京子と出会ってシカゴで結婚して、83年にそうね、ドキュメンタリー番組作るためにロケで日本来て。

中野　じゃあ最初はアメリカに帰るつもりだったんですか。

デーブ　そう。ロスにマンションも買ったし、ロケ終わったら帰るつもりだった。でも日本のテレビ局で面白い映像探してアメリカに送る仕事することになって、残ったんですよね。京子も日本来て、アメリカのテレビ局お金あるから二人でホテル暮らし。日本が面白くてね。そのままずっといる。最初にテレビ出たのはタモリさんの『笑っていいとも！』でしたよ。なぜか人気コーナーのレギュラーになって。当時は外タレブームだったしね。今もプロデューサーですよ！　もちろんコメンテーターだし、タレントだし。いや、僕のことはいいじゃないですか。

ガイジンの言葉、脳科学の言葉

中野　いや、読者は気になると思うんですよ。もちろん調べればわかることなんですけど……。でも、いかにデーブさんが日本のテレビにあまりにも自然になじみすぎているといっても、よく考えたらやっぱり「謎のガイジン」感があってミステリアスですよ。しかもそんな人が、日本人ですら会えないような人ともお付き合いがあって、信じられないような人脈があって、芸能通でっていう。

デーブ　中野さんだって不思議じゃない。やたら頭よくないと入れないMENSA（メンサ）［人口上位

2%のIQ（知能指数）を有する者が参加できる非営利団体。人口上位2%はIQ130以上が目安となる］でしたっけ？　に入ってて。

中野　メンサはいろいろありましてねえ……もう会費も払っていないし……。

デーブ　メンサの元会員？で、東大出てて、フランス留学してて、博士号持ってて、脳科学者。すごいよね。（明石家）さんまさんの番組いるなと思ったら、コメンテーターとしてばんばん発言してて。脳科学者だったら何言ってもいいの？

中野　いやいや、これでもかなり控えめにして、地味にやっているつもりなんですけど……。でも、うーん。最近思うんですけどね。

デーブ　何を？

中野　テレビで私に求められてることって、実は、科学を語ることじゃないんじゃないかって。だって、脳科学的知見なんて、誰だって論文読めばわかるし、論文読み慣れてない人でも今は本を読んだりネットで調べたりすればかなりのことがわかるはずだと思うんですよ。

デーブ　それは頭のいい人が言うことですよ（笑）。

中野　でもそういう、自分で調べればわかることを……それでも私が語る意味って何なのかなって思わないわけではないんですよ。

デーブ　だけど中野さんが言うからいいんでしょ？　中野さんが不倫とか毒親について思い切ったことコメントしても炎上したりしないもんね。あれ、なんでなんだろね？

中野　それは、割とそういう、んー、なんだろうなあ。誰しも人というものが持つ闇の部分があるじゃないですか。そういうところに「脳科学の言葉」で光を当てると、逆にみんな安心するというか？　薄々そうは思っていたけど「ああやっぱり」って納得したいのかもしれないし、その納得感があれば、大きく炎上させるモチベーションはそんなに大きくならないんじゃないですかね。「それでいいんだ」と自分を承認してもらいたいという気持ちもあるでしょうし。私は実はそういうことが求められてるんだろうかと思ったりするんですよね。

デーブ　「神のお告げ」だね。脳科学っていう「神のお告げ」が求められてる。中野さんはシャーマン。巫女。

中野　私がどうかはともかく、メディアっていう単語がもうそもそもそういう意味でもあるのは面白いですよね。デーブさんが「ガイジンの言葉」なら私は「脳科学の言葉」という形で、多くの人が当たり前だと思って見過ごしているかもしれないところに言及できるのはきっと強みなんだろうと思います。自分がなんとなく日本の社会の真ん中じゃないところから発言しているなというのは自覚があって、そういう意味ではデーブさんと私の立ち位置は似ているのかもしれない。

忖度キャスティング

中野　それと気になってたのは、デーブさんは言語そのものに対する愛がすごいんですよね。新しい言葉への食いつきがすごい。生放送中でも、聞いたことのない単語があるとすぐメモして、使い方を自分のものにしようとする。これは、語学をやっている人や受験生なんかにはその姿を見せてあげたいなあと思うことがありますよ。私、今でもフランスに仕事で行くことが割とあるんですけど、つくづくデーブさんすごいなと思う。母国語じゃない言葉で仕事して、その国出身だろう、と新聞に書かれてしまうなんて、普通にあることじゃ決してない。日本語勉強用に単語帳を作っていたというのも、かつて出版された本に書いてらっしゃいましたね。

デーブ　うん。昔は1日30個覚えるって決めてやってたけど、今はさすがにね。あっても3個とかかな。

中野　その努力の仕方も含めて本当にすごいなと思う。

デーブ　日本語、面白いですよ。テレビの業界で「1周する」って言い方があるじゃないですか。あの言い方面白いよね。

中野　「1周する」って、新人とかがプロダクションの力でひと通り番組に出させてもらうって意味でいいんですかね？

デーブ　そうそう。だからよく「おまえは2周目はないよ」とかってね、義務的な忖度キャスティングだったりすると言われたりしてるよね。

中野　「義務的な忖度キャスティング」ってのもすごい言葉だな。まあでもご挨拶まわりの意味で「1周」っていうことでいいんですね。

デーブ　アメリカの芸能界なんか売れないベテランや無名の新人に冷淡だけど、日本の芸能事務所は面倒見がいいんですよ。だって給与制のタレントもいるでしょ？　アメリカじゃ聞かないですよ。日本は所属タレント全員に仕事を持ってこようと努力するし。「バーター」でさ、売れっ子を出演させる代わりにベテランや新人も押し込んだりね。オーディションに比べたらすごい不透明なキャスティングだけど、ベテランでも活躍の場があるし、新人もチャンスをもらえる。「スターだけじゃなく、所属タレントみんなを大切にする」って考えはアメリカにはないよね。

中野　日本的な美徳ですかね。

デーブ　それだけたくさんのタレントが出演できる番組があるからってこともあるし、それをテレビ局が一括してるからってこともあるし、東京にキー局、密集してるしね。

中野　話を戻すと、「忖度」って言葉も使い始めたの最近じゃないですか？　うーん、よく聞くようになったのは第二次安倍政権の後半頃からですかねえ。「加計学園問題」とか「森友学園問題」とか……。

デーブ　芸能界はほら、忖度で成り立ってるでしょ。テレビ界は特に。事務所への気配りとか付き合いとか。忖度キャスティングっていっぱいあるもん、半分以上じゃないですか。

中野　いや、ちょっとなんとも言いにくい（笑）。

デーブ　半分以上ですよ。でも僕たち一切ないよね。

中野　デーブさんはでも友達多いからいいじゃないですか。学者、文化人枠ってほんと仲間も少ないし。

デーブ　いつもみんなに言ってるの、僕、しがらみがない。ただ毛じらみはちょっとある。

中野　それは速やかに病院に行った方が。

デーブ　まあだから僕はテレビ出るとき言葉には気をつけてますけど、でもしがらみないから好きなこと言えるっていうところはあるよねと思って。

中野　それは私もそうなりますね。

テレビはすごい

中野　ただ、私自身は子供の頃、ほとんどテレビ見てないんですよね。チャンネルの権限は祖父にあったので。だからそんな人がテレビ出てていいのかなあとも思ってはいて。人と交わるのも好きじゃなかったし。本は好きで、図書館も近所だったから山ほど読んでたけど。

デーブ　テレビは好きじゃない？

中野　いやそれこそ一周回って好きになりました。というか、こんないい人間観察の場はないなって。普通でない、すごい人ばっかり出ているし。それに私は音声でのコミュニケーションが下手だから、毎回とても貴重な機会だと思っているんです。人間としてのトレーニングの。

デーブ　最初が明石家さんまさんの『ホンマでっか!?TV』でしょ。さんまさん、どうでした？

中野　いやもうものすごい。テレビ出て初めて知りました。才能はもうもちろんなんですが、すごく情のある方ですよ。特に、素人の演者を絶対に見捨てないですよね。自分が必ず面白くしてみせるって覚悟というか、求道者のようだとすら思いますもん。

デーブ　求道者？　なんで？

中野　どんな人でも面白いところはあるんだという……信念が揺るぎないというんですかね。ギリギリまで面白くなるよう努力される。初めて出演した時、感動しましたよ。こんな自分の発言をどうにか面白くしようと手を尽くしてもらっているのがわかって。

デーブ　ああ、それは感動するかもね。

中野　私は面白く話すとかそういうの本当に苦手なので、心から感動したんです。さんまさんだけじゃなくて、ブラックマヨネーズのお二人も、マツコ・デラックスさんも、「このタイミングで！」というところですかさず発言を拾ってくださる。この世界でやっている人はすごいなあと。それは、番組のスタッフさんも含めて。

デーブ　学者の世界はそうじゃなかった？

中野　全然違いますね。アカデミックな世界にもすごい人はいっぱいいるんですよ。面白いこともいっぱいある。だけど、そのすごさや面白さを、わかる人だけわかればいい、と思っているフシがあるんですよ。玄人だけがわかればそれでよくて、一般の人がわかったら、むしろ低級なものと思って見下す風潮があるというか。

面白いことはたくさんあるのに、外部に伝えようという努力がうまく嚙み合っていないんですかね。内部で「これは！」と騒然となるようなことでも、うまく外の世界に届かない。むしろ届かなくていいと思ってるのかな？とすら思うのは、例えば私みたいにメディアに出たりすると「あっち側に行っちゃったね」という扱いになってしまう。

デーブ　欧米だと学者がメディアに出るのはふつうだけどね。大学も、その学者が売れてくれた方が寄付金集まってありがたいし。

中野　特にアメリカの学者は外部向けのプレゼンがすごくうまいですよね。だからビジネスをやって成功する人も多い。

テレビでは、視聴者が一応のお客さんですよね。時間の制限がある中で、お客さんに満足してもらう、わかった！と思わせる、というのは大変なことです。いろいろ端折らざるを得ない。自然と「わかりやすく伝える」ための技術が発達する。もっと深い理解を得るには本や論文を参照して下さい、そこまでの導線を作るのがわれわれの仕事、みたいな割り切り方もあるのかもしれない。

デーブ　なるほどね。

中野　アカデミックな世界だと、科研費とか研究予算を出すのは、日本の場合はほぼ国です。一般の人たちに向かってわかりやすく説明するより、なにか小難しいことを言って役人を説得する方が戦略としてはいいというのはあるでしょう。

デーブ　使ってる言葉もぜんぜん違いそうだもんね。ダジャレ言ってもダメそう。

中野　予算出してくれる人とのやり取りで、ダジャレは時と場合によりけりですねえ……。私みたいな音声言語コミュニケーションが苦手な存在からすると、テレビの人たちはなんでみなさんこんなに刺さる言葉がその場その場で操れるのかって、もうくらくらするんですよ。番組収録の現場は私にとっては「絶景」を見に行くような感覚ですよ。

テレビとコンプライアンス

デーブ　バラエティ番組に出てる人のすごさもあるけど、われわれが出てる情報番組だって、1本の番組にスタッフ100人ぐらいいますよね。まあ帯番組だからそれくらいいるのであって、ゴールデンはもうちょっと少ないかもしれないけど。

中野　関わっている人の数も確かにすごいですね。それぞれのスキルもあるし、ただ人数いりゃあいいってもんじゃないでしょうけど。

デーブ　100人、150人のいろんなジャンルの人がみんな番組に関わってるんですよ？　今伝えるべきことは何かとか、間違ったこと放送しないようにとかチェックしたりしてるじゃないですか。全員集合して昨日の放送見て、夕方のニュース見て、明日何やるかなって会議する。すごいパワーですよ。それでテレビ見ないという人の心理がわからないの。

中野　最近の人はテレビを見なくなったと言われていますね。

デーブ　もったいないと思うんだけど。

中野　40年くらい昔の、「テレビ見ない方が意識高い」と思われていた風潮ともまた違いますよね。現状を冷静に見てみれば、実はテレビ見ている層の方がお金持ちじゃないですか。だってテレビが買える、テレビを置ける場所がある、テレビを見る時間がある。テレビを見ていない層は、そのどれかを、あるいはすべてを持っていない人も多いのでは？　防衛機制的な心理が自動的に働いて、本当は自分にテレビを持っていられるだけの経済的な力がないという現実を見たくないがために「そもそもテレビはつまらない」ということにしているのではないかなあ。あのぶどうはすっぱい、の論理ですよ。

とはいえ、テレビはテレビで、昔の方がハチャメチャなことが許されていたので番組も面白かったとか、コンプライアンスがテレビをつまらなくしたみたいな言い方もあります。実際、どうなんですかね。

デーブ コンプライアンスね。日本語だと法令遵守?

中野 訳すとそうなりますね。ですけど、日本で実際に使われてる範囲はもう少し広い気がしますね。企業の倫理観とか企業が社会的規範に従うことも含まれている。

デーブ ＢＰＯ［放送倫理・番組向上機構］ができたのが何年? ２００３年か。

中野 コンプライアンスという言葉自体がメディアで多く使われるようになったのは１９９７年の金融危機からという説がありますね。この説は新聞や雑誌に「コンプライアンス」という言葉が使われている件数をカウントしたネット記事によるものなんですけど、ただ、それでもこの単語自体が一般に定着したのは２００６、７年頃だろうとその記事では推測されています。２００７年にはもう『「法令遵守」が日本を滅ぼす』って本も新潮新書から出ていますね。

デーブ　『コンプライアンスが日本を潰す』って本も２０１２年に別の出版社から出てるね（笑）。

中野　このあたりのことを考え合わせると、コンプライアンスという語が使われ始めたのは、20年前まではいかない感じですかね。

デーブ　テレビ離れはいつから言われてるかっていうと、同じ頃からな気がするんだよね。紅白歌合戦の視聴率が50％切ったのが２０００年で、50％以上は１９９９年が最後。これってけっこう話題になった。２００４年には40％も切っちゃった。

中野　なるほど。あとはｉＰｈｏｎｅが日本で発売されたのが２００８年ですから、これも関係あるでしょうねえ。

デーブ　あるよ！　日本を悪くしたのはスティーブ・ジョブズだよ。みんなどこでも話もしないで一人でスマホ覗きこんでてさ。ネットに悪口はいっぱい書き込むのに。

中野　ははは。同じ年にはＮＨＫの会長が「若者のテレビ離れ」について言及、２０１５年にＮｅｔｆｌｉｘが日本で配信開始……まあいつから始まったか、なんでなのかは諸説あるんでしょうし、「テレビ離れは起きていない」って言う人もいます。だからなんとも言えませんけど、ＮＨＫ放送文化研究所が２０２１年に発表した調査結果だと、若い世代でテレビを見る人が男性20代と女性10代では50％を切ったんだそうですよ。

デーブ　この15年とか20年だよね。いろいろ変わったなと思ってるんですけどね。

コンプライアンスはなぜ広まったか

デーブ　僕だってＹｏｕＴｕｂｅは見ますよ？　ちゃんとした芸人のネタとか、古いテレビ番組とかは。あるいはニュースとか。ＴｉｋＴｏｋもチェックくらいはして「確かに可愛いよこの踊り」とは思うけど、ずっと見てるかって言うとさ。

中野　まあ、見ごたえがあるかと言われると、微妙なものも多いですね。とはいえなんでテレビ見ない人増えたんだと思います？

デーブ　いわゆる「大手メディア」イコールつまらないと思ってる若い人がいるよね。あれ困る、勘違いしてると思う。

中野　若い人に限らず、そこで思考停止しちゃってる人は相当数いそうですよね。いわゆる「大手」ものを見たくないっていう人たちって、「コントロールされたくない」みたいなことを言うんですよね。

デーブ　ああ、言うね。「マスゴミ」的なこととかね。

中野　だけどネットに流れてるニュースなんかの元になってるのは「大手」のものなんですよね。きちっとニュースソースを当たって、裏取りできていなければよほどのことがなければ流さない。そこは、さっきデーブさんがおっしゃっていたようにけっこうな人数をかけているわけです。だから、ネットの人々はそのニュースの加工をして記事を書くことができる。名誉毀損とか事実誤認の心配をしないですむ。そのことを理解している人はどのくらいいるんでしょう。コントロールも何も、見えていないだけで、自分たちがまずそこに依存しきっている構造にそもそもなっているのに。

デーブ　なんとなくそういうの信じるのがいいことみたいになってるんじゃない？

中野　個性だの自分らしくだの、言葉だけは威勢がいいけれど、実はけっこうみんな同じ格好してたり、横並びじゃないと許さないみたいな圧も感じるところがあって。大手のメディアは見ないけど、一方でみんなが見ているＹｏｕＴｕｂｅは見なきゃ、みたいな矛盾も感じるんですよね。

デーブ　ああ、服従心が強い人が多い気がするね。コンプライアンス大好きな人も。

中野　同調実験がリアルに進行中、みたいな感じもします。

デーブ　ドウチョよろしくお願いしますってね。日本ほどルールが守られやすい国、ないんじゃないですか。「お願いベース」でみんなルール守ってくれるんだもん。不思議な言葉だよね「お願いベース」。でももったいないなと思いますよ。「大手」はアーカイブも大量に持ってるし。ＹｏｕＴｕｂｅやＴｉｋＴｏｋでやってることからするとオーバースペックなんだろうけど。

中野　デーブさんがテレビに出るようになってから今年でちょうど40年？　ご覧になってて、コンプライアンスって言われるようになって何が一番変わりました？

デーブ　何が一番変わったってコンプライアンスっていう外来語知ったことですよ。前知らなかったもん。全部独自のケースバイケース、もしくは気にしない、あるいは常識で差別用語とか使わない。差別用語言わないとかそもそも当たり前じゃないですか。法律守るのも当たり前。企業倫理とか言うけど、テレビとかだと自主規制とか忖度とかに近い気がするんですよね。

中野　まあカタカナ語はなんだかんだ言われても、みんなその権威性にやられちゃうとこありますよね。最近でもセクハラ、パワハラ、モラハラにＳＤＧｓ、ＬＧＢＴＱ。この中にもありますけど、和製英語もかなりの割合で入っているのがまた面白い。

デーブ　コンプライアンスって言い始めた頃、深夜番組のコントで面白いのがあって。

ポロシャツ着たディレクターがいて、作家がいて、番組のネタ会議やってるのね。「いや今はコンプライアンス意識しなきゃダメだから」ってみんな神経質になってて。「ちくわ？　ちくわはどうなんだよ」「まずいですよ、ちくわはまずい」とかやってるわけ。要するに、まあ、その、いやらしいとか、卑猥に見えるとか、連想するというのでね。つくねとかね。それでけっきょくひとつひとつコンプライアンスに引っかかるって過剰に心配して、何も会議が進まないっていうネタだったんだけど、大笑いしたですよ。

中野　ちくわがダメって……もうほとんど何でも難癖つけられちゃうじゃないですか。

デーブ　だから変わったのは、やっぱり言葉として、概念として日本に上陸したからで、コンプライアンスがどうやって上陸したかわかんないけど、ゴムボートでかな。そこから始まったと思う。で、大きい会社だとテレビ局含めて上にいくほどヒマ人が多いから、そういう管理やってる人たちいるんですよ。うるさいんですよ。自分が現場いないから、余計にうるさく言う。前は戦うプロデューサーとかいっぱいいたんです。うるせえんだおまえらって言い返せばいいんだけど、今言い返す人あんまいない。

中野　我が道を行く人がいましたね。

デーブ　最高ですよ。昔のテレビ局はそういう人ばっかりだったの。だからコンプライアンス室とか考査室とかいろんなとこがきても怒鳴って押し戻して、向こうはビビるから。今ビビる人、ビビる大木しかいないですよ、テレビには。

中野　もっといるんじゃ……？

デーブ　アメリカはデブ、ブス、馬鹿、ハゲ、言っちゃいけないことがどんどん増えてる。いやわざわざ言わなくてもいいけどね、それは。ただ、そういうの全部アメリカから来るじゃないですか。なぜかっていうと日本企業はアメリカや欧州に子会社がありますが、その子会社はほとんど現地法人になってますから、その国の法律に従わないといけないですよね。

アメリカの例えば三菱商事とかトヨタとかの大企業はコンプライアンスのセクションあるし、顧問弁護士がいるし、ガイドライン当然あるわけですよ。それが日本に伝わってくるのは自然の流れなんですけど、それでテレビがつまらなくなっちゃうのはね。

中野　英語でも侮辱が芸になることってあります？

デーブ　「僕の犬がおまえのような顔してたら、お尻の毛を全部剃って後ろ歩きを教える」って有名なのがあって、これだって別に相手の顔のことほんとに言ってるんじゃないんですよ。完成度高いんですよ。

中野　ちょっとそれはイギリス人っぽい。モンティ・パイソン的。

ムチャクチャだったテレビ

デーブ　だって、中野さんはテレビ見てなかったんだから知らないだろうけど、昔のテレビはムチャクチャでしたよ。

中野　そうらしいですね。

デーブ　テレビって前はね、怒られてもいいやっていう業界だったんですよ。『11PM』って深夜番組の次が『EX（エックス）テレビ』で、この番組は90年から放送されてたんだけど、「生放送で初めてのヘアヌード！」とかって告知したことがあったんですよね。もうみんな何だろうと思うわけじゃない？

中野　ああ、「ヘアヌード」［陰毛がモザイク等で修整されていない裸体の写真や映像のこと］って言葉が刺激的だった時代ですよね。ヘアが解禁されたのは篠山紀信さんが撮った宮沢りえさんの『Santa Fe』（91年）くらいからだそうですけど。

デーブ　そう、だからヘアヌードがまだまだやばい時期ですよ。テレビの生放送なんかでやったらどうなるか。それをさ、やるって言うんだから視聴率だって上がるでしょ？

でもいざ放送する時は、どこかの公園に裸の女性を立たせてね、いや、間違いなく裸ですよ？　裸なんだけど、それを超望遠で放送するってのをね、やって。

中野　公園に立たせるっていうのは気になりますけど……でも、肝心のところは見えないですよね（笑）。

デーブ　見えないよ。だって半キロとか1キロとか離れてるし。人がいるなってくらい。

中野　当時は解像度も悪かったでしょうしね。それなら「わいせつ物頒布等の罪」にも当たらないのか。

デーブ　でも嘘じゃないんだよね。嘘じゃないのよ。そういうのを平気で放送してたし、ギリギリのルール破りにむしろ燃えてたというね。そういう感じだったんだよね。

中野　今はもうできないでしょうね。

デーブ　僕、日本に来たばっかりの時、本業はアメリカの番組に日本の番組紹介することだったんですけど、それまでは日本のサラリーマンのイメージは勤勉でまじめで。それが日本のバラエティ見たら、あまりにもギャップがあって。だってその頃、日本で野球見に行くとみんなスーツにネクタイなんですよ？

中野　ああ、そんな時代。

デーブ　それがバラエティになると「まさか！」って感じで、アメリカよりぶっ飛んでたんですよ、クレージーで。

中野　そうか、そういう番組をデーブさんが海外に紹介してたのか。ウケました？

デーブ　ウケた。みんなびっくりしてた。『天才・たけしの元気が出るテレビ‼』で高田純次がやってた「早朝バズーカ」とか。

中野　寝てる人の隣でバズーカ撃って起こすドッキリでしたっけ。

デーブ　そう。最高じゃない？　『風雲！たけし城』とかもう何回も紹介した。谷隼人がなぜか一番偉い人っていうね、そういうキャスティングもほんと面白かったよ。アメリカ版もやったんだよね。でもアメリカ版は『ＳＡＳＵＫＥ』みたいにガチでゲームをクリアさせようとしてて、あの面白さをわかってなかった。あれ、無理ゲーに一生懸命チャレンジするやつが転んだり泥だらけになんのが面白いのに。全然わかってない。

　だから日本がぶっ飛んでた時代があったのよ。バブルの影響もあったんでしょうけど、何でもあり。

中野　まあ、面白いけどムチャクチャなことをやっていたからＢＰＯができたり、コンプライアンスと言われるようになったりしたのかもしれませんけどね……。

デーブ　ただ、当時はテレビ、みんな見てた。僕、幸いと言うべきか、『笑っていいとも！』に出演させてもらったのが日本のテレビでいろんなこと始めるきっかけだったんですよね。出たの来日したその年ですよ。83年。あの時、『いいとも！』出ただけでもう周り中みんな話題にしてた。

中野　でしょうね、お昼はみんな見てましたしね。

デーブ　休憩室とかでね。スマホないしね、その日のうちに話題になって。その頃はほんとテレビだけだったから当然勢いがあったと思うんですよ。コンプライアンスとか言って止めようがない。最高だったですよ。

テレビはびっくり箱

デーブ　テレビって、何かとんでもないことあるからみんな見てたじゃないですか。びっくり箱みたいな。

中野　（ビート）たけしさん、何言い出すのかなとかって。

デーブ　そうそう。今でも関西や九州だと芸人もまだ遠慮せずばんばんもの言ってるから、けっこう面白いですけどね。

中野　10年ぐらい前に『平成教育委員会』っていう番組にたけしさんがMCで出てらして、番組の初めに自己紹介をする時に、当時、性的なスキャンダルで話題になってた人の名前で自己紹介したの。絶対これカットされるよねと思いながらもつい笑っちゃった。でも、アイスブレイクというか、番組の勢い付けにはなった。

デーブ　僕も深夜番組けっこう出てたんですけど、(片岡)鶴太郎さんが司会で、僕の紹介の時「そしてヘルペス治ったばかりのデーブ・スペクターです」ってやって。そんなのばっかりみんなやってたんですよ。

中野　きっと今のテレビだと放送できないんだろうなあ。この『平成教育委員会』の時、私がうっかり胸が割と深く開いてる服で行っちゃって。で、クイズの回答をするためのボタンは右側にあるんですけど、ボタンを押す前にペンで回答を書かなきゃいけない。右手で回答書いて、また右手でボタン押すとなると時間がかかるじゃないですか。だから左手でボタンを押せばちょっとでも早くなると思って腕をクロスさせながら真剣に問題を待ってたんですよね。そしたらたけしさんが「中野君がだっちゅーののポーズでスタンバイしてます」と言って、しばらく笑いが起きてましたね……。笑われるつもりはなかったんですけど。でも、こういうのももう、今だとどうなんだろう。

デーブ　外見をいじるのは一般人でもふつうじゃない？　着てるものとか。

中野　うーん。セクシュアルなことに言及するのがもうアウトな感じがあるような気もしてまして。もちろん容姿については、褒めてもいけないし、けなすのはもってのほかでしょう。外見に触れること自体が今のコンプライアンス的に微妙になってますよね。

デーブ　そうそうそうそう。それよくないですよ。僕しょっちゅう褒めるけどね、髪型とか。別にやらしいあれじゃないんですけどね。

中野　ね。花がきれいねっていう感じ。

デーブ　だって言われたいじゃない。それもダメなの？って思うよ。

中野　だんだんダメになりつつありますよね。あと数年もたないんじゃないですかね。

デーブ　イケメンも？　何か言っときゃいいのかなっていう感じで「イケメンですよね」って使うけど。

中野　イケメンもだんだんダメになっているんじゃないですか。女性側からちょっとずつ来てますよね。ブスもダメだけど、美人は美人で「美人って言われた方が困る」、みたいな形で使いづらくなってません？

デーブ　『サンジャポ（サンデー・ジャポン）』でも議論になったんですけど、女性のスタイルとか外見ね、持って生まれたものじゃないですか。努力も必要でしょうけど、頼んでそう生まれたわけじゃないし、アスリートだってそうですよね。誇りに思ってもいいじゃないですか。繁殖したいから。生物の本能として美しいものを求めるし、見たいですよ、だって動物だし。本当にスタイルのいい人とか美人、逆にかわいそうになっちゃうね。逆差別ですよね。

中野　美人が、自分が美人であることに罪悪感を持たせられてしまう、みたいな風潮が強くなるのはちょっとどうかと思いますね。

メディアとキュレーション

中野　テレビが遊べた時代って、ほかに基準となるメディアがあったじゃないですか。新聞に力があったし、ある種の雑誌も含めて、「きちんとしているべきメディア」というのが、テレビ以外にあったわけですよね。テレビってもっと大衆的なものだったから、遊んでも許されたというのはあったんでしょうね。

デーブ　そうかもしれないね。

中野　今はテレビよりももっと遊べるものができて、相対的にテレビは「ちゃんとしているべき」といった期待がもたれるようになったし、そういう通念が浸透してしまったのかもしれないですよね。

デーブ　テレビはＴｉｋＴｏｋになれないしね、ＹｏｕＴｕｂｅにもなれない。でもＴｉｋＴｏｋやＹｏｕＴｕｂｅは総務省の管轄じゃないから何やってもいいんですもん。

中野　プラットフォームを提供している側の大企業も何も言わないですしね。

デーブ　そう、だからテレビはもう放送開始から70年経って、オーソリティになっちゃった。コンプライアンスとか言い出すようになった。前はオーソリティだった新聞はあんまり読まれなくなって、前ほどの影響力がなくなっちゃった。雑誌も売れなくなって、本は売れるものは売れるけど、売れないものとの差が激しくなっちゃった。

中野　でも例えば私、書店に行くのが好きなんですけど、お店によって本の見せ方が違うじゃないですか。本の仕入れって、さまざまな要因はあると思うんですけど、その書店の書店員が決めるところはあるじゃないですか。そういうキュレーション的な部分がやっぱり面白いなと私は思うんですよね。

　テレビとネットの最大の違いはキュレーションされているかどうかというところじゃないですかね。私はネットより今はテレビの方がいいなと思うのは、自分の好みだったら選ばないものも見られるというのが大きいですね。

デーブ　なるほどね。

中野　自分と違う人がキュレーションしているから、自分と違う目線から見た世界を垣間見ることができる。でもネットの情報では、自分のフィルターを通したものしか入ってこない。何でも用意されてはいるんですが、結果的には自分の選んだものしか見ていないので、世界は意外と狭くなっちゃうという。

デーブ　全部自分で選ぶってなるとそうなっちゃうね。

中野　うん、だからそういう点では、書店とかテレビのような、キュレーテッドメディアの方が私は好きなんですよね。

デーブ　キュレーションね。それはわかるな。ただ問題は、そのキュレーションする側にコンプライアンスという名の自主規制というか、忖度があるじゃない？　コンプライアンスって2種類あって、ひとつは企業が守らないといけない法令や社会的ルールをちゃんと守りましょうってことでしょ。でないと逮捕者が出たり不祥事になる。謝罪会見したり、おかげで株価が下がったりする。信用失う。でももうひとつは炎上怖いから自粛する。忖度する。安全第一になる。それでいいの？って思う。

サブ・コンプライアンス

中野　テレビの仕組みとして、もちろん明文化されたコンプライアンスもあるんだけど、その周辺部にあるじゃないですか、暗黙のルールみたいなのが。

デーブ　暗黙。そうそう。

中野　サブ・コンプライアンスみたいなのがすごく強い印象はあるんですよね。影のコンプライアンス。

デーブ　サブ・コンプライアンス、いいね。コンプライアンス自体が見えない気遣いなのに、さらにサブがある。

中野　もちろん、陰謀論みたいなことが言いたいんじゃないですよ？　「これ、言っちゃっていいのかな？」みたいな線引きが今はすごく手前に引かれていて、でもその線を越えていいとなると一気に報道の量が増える、みたいな感じがありません？　ジャニーズ事務所をめぐる報道なんて、ちょっと奇妙に感じられるほど横並びで盛り上がっていった感がありました。ＣＭ案件もそうです。何が話してよいことで、どの単語はダメで、何がしてはいけないことなのか、というような。言いたいことを言っているようでいて、横目でいろんな人を見ながら、ものすごく誰もが慎重になっているという状況に、多くのメディア関係者は戦々恐々としていたのではないでしょうか。

まあそれはそれとしてまた後で語るとしても、コンプライアンスを慎重にとらえすぎて、表現の幅が狭まっているのは確かでしょう。

デーブ　そうね、使えない言葉増えたかもね。あとテロップ増えた。芸人が今言ったことテロップで出る。字の色変えたり大きさ変えたり、「ここ笑うとこですよ」って。日本人の耳で聞いて理解する力落ちるんじゃない？と思う。あとテロップもひらがな表記増えてるんですよ。漢字のふりがなも。おかげでみんな漢字読めなくなってる。

中野　漢字が読めない人は実際、増加傾向のようですね。学校は出たけれど、的な「形式卒業者」という言葉も出てきました。理由はさまざまですが、日本が誇る識字率の高さも、あやういんじゃないかという声が聞かれないでもない状況です。そういう環境を考えると、テロップのひらがなの多さも、テレビ側のわかりやすく伝えようっていう努力とも言えるんじゃないですか。

デーブ　そうとも言える。そうとも言えるけど、みんな妙な気遣いなんですよ。サービス過剰。忖度。怒られたくない。SDGsって言う。LGBTQ気にするもそう。

中野　ＳＤＧｓ、私、一枚も嚙んでないんですけど、あれ、本当に意味あるんですかね……。まじめにやっている人には申し訳ないようですけど。

デーブ　あれ、ちゃんと見ると、みんなやるべきことなんです。環境保護とか。

中野　しかしね、運動としてやるようなことなのかな。公的資金が欲しいだけの人もいるんじゃない？って。黒いですね私。でも「当たり前じゃない？」って思うことばっかりで、あえて運動にしてしまうと、支援が入らなくなったり、運動の流れが終わって誰も見向きもしなくなったら、あっさりリバウンドして元に戻ったりするんじゃないのかなって。

デーブ　ほんとそう。大事なこと、やるべきことなんだけど、ムーブメントになってるから白ける。いいんです。ＳＤＧｓは正しいです。でも、わざわざ言うことですかと。まあ啓蒙活動も必要かもしれないですけど、うざいですよ、お金もらってるタレントに何か言われると。そういうの力入れてる事務所あるんですよ。おまえに言われたくないってみんな思ってますよね。

中野　ＬＧＢＴってその後Ｑが増えてＬＧＢＴＱって言い方することが増えたじゃないですか。レズビアン、ゲイ、バイセクシュアル、トランスジェンダー、クイア。

デーブ　そうね。
中野　でもあれって今じゃもっと長いんですよね。ＬＧＢＴＱＱＩＡＡＰＰＯ２Ｓ。
デーブ　暗号みたい。
中野　加わったＱＩＡＡＰＰＯ２Ｓについて念のため。クエスチョニング（Questioning）、インターセックス（Intersex）、アセクシュアル（Asexual）、アライ（Ally）、パンセクシュアル（Pansexual）、ポリアモリー（Polyamory）、オムニセクシュアル（Omnisexual）、２Ｓはトゥー・スピリット（Two-Spirit）だそうですよ。
デーブ　多様性だ多様性。
中野　いやあ……定義するからどんどんカテゴリが増えていくんじゃないかという気がしますよ。ひとつ定義すると、必ずそこから外れたいという人が出てくるので、これからもどんどんこの文字列は長くなっていくんじゃないですか。みんな違ってみんないい、だけど、このやり方でどんどん記述していこうとしたら、究極的には80億文字以上必要になるということになりかねない。なんかもうこれだけ個が主張する世の中なんだなと。
デーブ　多様性は大事、人権重要ですよ。でも、今はノイジー・マイノリティってある。僕、ある番組で急にネクタイがダメって言われて。

中野　それはまたなんで。

デーブ　節電って言ってるのに何でネクタイするのかって数人が言ったって。別にネクタイから熱出てないと思うけど。

中野　出てない（笑）。

デーブ　で、反発しないで「わかりました」「承知いたしました」って言った方が早いって。

中野　議論よりも、黙って従うことが賢くて大人、と思われるわけですよね。議論ができない。

デーブ　できない。したくないし、しない方がいい。何のためにもならない。

中野　主張してみても、聞いてもらえたように思っても、変わらないでしょうしね。議論するより、根回し。それまではじっとして「うん」って言っておく方が早い。

デーブ　そういう、コンプライアンスっていうよりサブ・コンプライアンス。「病院が逼迫している」って必ずふりがなふるでしょ。もうわかってるよ、ひっぱくって読むって。アナウンサーが原稿読んでるんだしさ、耳で聞いてればわかるじゃない。

中野　う。読めるけど、書けって言われたら「うっ」ってなるかも。私、漢字苦手なんですよ。

テレビで使えない言葉

デーブ 「ら致」とかね。なぜ「ら」だけひらがな。

中野 「拉」が常用漢字に入るまでは確かにありましたね、そういう表記。テレビや新聞は常用漢字以外はひらがなに開くからみたいですけどね。

デーブ でも「北朝鮮拉致問題」って書いてあって仮に「拉致」だけ読めなくても、文脈でわかるでしょ。

中野 デーブさんは外国語として日本語を学んできたから余計にそう思うのかもしれませんよ。だいたい、外国語を読む時、知らない単語が出て来たら文脈で類推するというのは常套手段ですよね。

デーブ 「障がい者」とかね。

中野 「障碍者」と書く場合もありますよね。難しい字ですし、これは「害」の字を使いたくないという配慮からなんでしょうけど、そうは言っても「碍」も「妨げる。邪魔をする」という意味がありますよね。

デーブ　「障碍者」って書くやつを車椅子芸人のホーキング青山が「おまえは歩く漢和辞典か！」ってツッコんでた。いつか「翔涯者（しょうがいしゃ）」って書くようになるんじゃないかって。

中野　やや、キラキラネーム的な……。

デーブ　言い換えだと、「浮浪者」が今「ホームレス」とかね。カタカナに逃げるのもあるじゃないですか。

中野　だんだんホームレスもダメになってきましたけどね。線引きはなかなか難しいところがありますけど、たとえば自分で言う分には多少はいいんですかね。

デーブ　自分で言っててもテレビは使えないんじゃない？　でも本人が言う分には全然いいと思うんですよ、アメリカでもそうだけど。他人が言うと差別になるけど。

中野　でも本人に言われても、これ笑っていいやつ？って一瞬戸惑いますけどね。

デーブ　それはある。リアクションに困る。

危ないことはテレビの外で

中野　容姿に関することは本当に言いにくくなってきたと思うんです。

デーブ　そうねえ。

中野　「3時のヒロイン」の福田麻貴ちゃんが自分の顔を「2年ぬか床に漬けたあいみょんみたいな顔」とかってネタにしてたんですけど、けっきょく「容姿に言及するネタを捨てることにしました」って宣言したんですよね。

デーブ　でも自虐的なギャグが言えなくなったらきついじゃないですか。それで成り立ってる人もいるから。矛盾してるよね。そもそもはそれで出てるんだし。渡辺直美はオリンピックの時の「容姿蔑視発言問題」でひどい目にあったけど、エンターテイナーとしては立派な成功例だったじゃないですか。

中野　ブラマヨの小杉（竜二）さんは薄毛ネタでかなり笑いを稼いでいると思うんですけど、ハゲも言いにくくなったらちょっともったいないなって思っちゃうんですよね。お約束でもあるし、体型も容姿もひとつの才能でもあったのに、その才能の部分に言及できない。コンプライアンスでその部分を「なかったこと」のようにしちゃうのはどうなのかなって思うところはあります。

デーブ　「こすぎ」なのに薄すぎるとかね。

中野　ですよね。しかも小杉さんは京都府のご出身なんですけど、最寄りの駅が桂（かつら）っていう。名前と出身地を言うだけで笑いにつながるって。もう、笑いの神に愛されているとしか。

デーブ　それ最高だよね。舞台は大丈夫ですけどね。アメリカもライブハウスはそれなりにチケット代するし、危ない話聞けるというのが行く目的でもあるわけですから。

中野　舞台では自由に話すことができて人気が出るけど、テレビになるとそこは触れられないっていうのはテレビを苦しめている要素のひとつかもしれません。

デーブ　そうね。テレビでもお客さん入れてやる時、始まる前に何か言うってありましたけどね。『笑っていいとも！』はタモリさんとか出てきて。

中野　前説（まえせつ）ですね。

デーブ　そうそう。さんまさんとかも収録の時に出てきて、放送に乗らないというのでちょっと危ない話、けっこうするんですよね。あれが楽しみなんですよ。でもそれは暗黙のルールで電波に乗せない。落語もネタに入る前のトーク、危ないんですよ。でも来てるお客は本当に好きな人だから、絶対言わないもん。

中野　そこは本当にお約束ですよね。

デーブ　テレビの縛りがある中で、でもお金払ってもらう時には思い切って言うぞと。それも遠慮するようになったらおしまい、おしまいですよね。吉本もそうだよね。

中野　なるほど。

デーブ　中川家みたいに危ないことやる必要なくて面白い人はいいんですけど。ちょっと危ない話が聞けるのはライブの魅力でもあるので。でもテレビも昔はそれ気にしてなかった。

中野　「お馬鹿タレント」のような存在が一時期テレビを席巻しましたけれど、お笑いでも「馬鹿じゃねえの」とツッコめなくなるとか、あの人馬鹿だからねっていうのも言いにくくなるんじゃないかっていうのは、あまりに窮屈に感じます。

デーブ　そうそうそうそう。ユッキーナ（木下優樹菜）とか里田まいとかね。でも、タレントもわかっててやってるわけだし、そこが面白いんだし。中途半端に馬鹿は一番困るね。自分が馬鹿と思ってなくて、電波の無駄。思いきった馬鹿はうれしいですよ。

多様性の罠

デーブ　馬鹿って馬と鹿って書くから彼らには失礼ですよね。でも何で馬と鹿って書くんですか、馬鹿って。

中野　馬鹿の語源はけっこう忖度に関係があるんですよね。秦の二世皇帝に鹿を「これは馬です」と言って献上した寵臣がいた、という話です。で、この鹿を見て、臣下の誰が「素晴らしい馬ですね」と言うのか、この時、観察するわけです。いわば、踏み絵をさせたんですね。自分の権力がどれくらい強大かをはかるために。そして、誰が忖度をするやつで、誰が本当のことを言う危険なやつなのかを知るために。その時、「素晴らしい馬ですね」とおべんちゃらを言ったのが「馬鹿」。

デーブ　忖度したやつが馬鹿か。空気読んだやつが馬鹿。後世から見れば。

中野　鹿を鹿と答えた人は殺された、というのがこの故事の結末です。

デーブ　うわ。そうなの。アメリカだと今WOKE(ウォーク)ってのがすごいですよ。人種とかジェンダー、差別とかへの「意識高い系」の人たち。

中野　「目覚めた」とか「悟った」って意味ですよね。

デーブ　これへの反発がね。もう美徳として押しつけてくるから。なんでも差がないように、広告にはこの人種を何%出さなければいけない、アカデミー賞は一定数マイノリティに受賞させろ、ディズニー映画の過去の作品はすべて性差別だとか、とにかくなんでもかんでも差をなくそうとしてる。

中野　ドイツで「ドクメンタ」という現代アートの祭典があってカッセルって町でやっ

てるんですけど、昔、ヒトラーが「退廃芸術」というのを定義したじゃないですか。

デーブ　現代アートみたいのが「退廃芸術」で、そうじゃないやつが「正しい芸術」。

中野　そんな感じで。ああいうのは良くなかったねという反省からやるようになったイベントなんです、5年に1回。前回はMake Friends, Not Art ってテーマで、インドネシアのルアンルパというアートコレクティブがキュレーションをしたんですね。欧米ではほとんど無名のアーティストをずらっと配置するような会場構成で。欧米中心のアート界にちょっと変化をもたらしましょう、これが〝多様性〟です、みたいな会場の作りなんですね。褒める人はもちろんいるんですけど、かえって違和感が残ったんじゃないかという見方もあって。

デーブ　なんで?

中野　カウンターパンチとしてそういうふうに見せてるけど、逆に欧米がすごいということを際立たせてない?という見方がある。オーソリティとしての欧米をそういう形で間接的に認めたよねっていう。どうせ揺り戻しは来るだろうし、次回以降、こんなに新しい、知られていない作家ばっかり集めちゃってどうするんだろうとか。「多様性」「多様性」と言うのはいいけど、じゃあ誰がどういう視点から評価するのという評価軸まで揺らいでくるような感じもあります。で、結局、そういう混沌としたところで力を発揮するのってトランプ前大統領みたいな人なんですよね。

デーブ　ああ、わかるな。それを利用するのね。何もわかってなくても。

中野　そうそう。声が大きくてわかりやすい人が支持されるというのは、実験的にも明らかなんですよ。そういう展開まで読んであなた方はこういう構成にしたんですかってちょっとひとこと言いたい。ほんとはキャリアの長い、知名度のある批評家がそういうことをもっと大きな声で言えばいいのにと思うんですけど。

美しいものを美しいと言えない

デーブ　アメリカだとコメディアンがそれをやってる。戦う最前線はコメディアン。デイヴ・シャペルという人がいる。例えば『スポーツ・イラストレイテッド』って有名なスポーツ雑誌が毎年水着特集号をやって人気なんだけど、ここんとこすごい太った人やお年寄り、帝王切開の痕のある人とかをモデルとして起用してるんですよ。太ってるって言わないな、プラスサイズって言うのか。何人もいるモデルの一人としてね。これも〝多様性〟ですよ。それでまた「その異なった体型をセレブレイトしたい」とかそういうことみんな言うわけ。ショーもやって、そういう人たちがランウェイ歩いたりするの。

中野　なるほど……。

デーブ　それ見て感激して泣く人もいるんですよ。自分と同じような体型の人がランウェイ歩いててうれしいんでしょう。でもシャペルとかコメディアンたちは、いやいや、ただのデブだよ？ってギャグにして、まあ炎上もするんだけど、そういうバトルをやめない。

中野　泣くのは、脳の倫理の領域が刺激されるからじゃないですかね。自分は尊いことに参画しているのだ！という感激が起こるので。

デーブ　もうほっといてよと思うよ。生物だし、個人差あるのは否定できない。でもやっぱり美人像ってあるわけじゃない。

中野　なんでややこしいことになっているのかは実に興味深いですよ。美しいものは美しいってなんで言えないのと。多様性が悪いって言ってるんじゃないんですよ？　プラスのものも無価値にされてしまう。そうやって全部、評価軸を壊し、価値を平準化していくと、今度はただ声が大きい者が勝ってしまうという構造をつくってしまう流れに間接的に加担することになる。

デーブ　そうなんです。それが罪なの。たまたま美人でいることがいけないみたいになっちゃうもん。誰も彼もがすべての仕事をやる必要はないと思うんですよ、正直言って。運動神経悪い人もアスリートやりたければやらせるのかってなっちゃう。

中野　なっちゃいますね。

デーブ　あるいは今、トランス女性、トランスジェンダーの男だった人が法的に女性になってスポーツ競技に出てるんですよね。重量挙げとかオリンピックにも出てた。アメリカであれはやっぱりあかんってみんな言ってるのが水泳。トランスジェンダーの人だってもちろんスポーツしていいんだけど、競技となるとフェアじゃないと。

中野　これねえ。違和感持たない方がおかしい気がしますけど……。筋肉の付き方がそもそも違うのだし。

デーブ　テレビ業界見てるとね、日本がそうなるのも遠くない気がするんですよね。これだけ「コンプライアンス」「コンプライアンス」言ってるの見てると。どんどん自主規制して、どんどん横並びになっていって、あるはずの差もないことにしちゃうと、プラスもマイナスも何も言えなくなって。

中野　最後にドンとラスボスみたいのが出てくる。

第二章　炎上とリベンジの遺伝子

日本は同調圧力が強いか

中野　これはデーブさんに聞いてみたいと思ってたんですけど、日本って同調圧力が強い国って言われるじゃないですか。本当にそう思います？

デーブ　思う、思う。みんな言うことを聞くって思ってるよ。

中野　やっぱりそうか。私も本当にそう思うんですよ。

デーブ　赤信号渡らないじゃないですか、たけしさん以外は。

中野　また古いギャグを……でも確かに「あ、鳥だ、飛行機だ、タケちゃんマンだ」っていうギャグでも本当にみんなタケちゃんマン見ますよね。

デーブ　前に女房と変な時間にお寿司食べに行ったんですよ、六本木のお店がちょうど空いてて、午後3時ぐらいかな、お客はあんまりいなくて。食べ終わって味噌汁が出てきて、そしたらぬるいんですよ。「ごめんなさい、ちょっとぬるいんですけど」って言って返したら、カウンターの向こうに一人で来てた男の人も「僕のもです」って言うんだよね。つまり僕が言ったから言ったけど、僕が言わなければ我慢してたってことなんですよ。あれ、ずっと覚えてるんですよ。

中野　それすごい面白いな。私、この間、ある会に行ったんですけど、ちょっと他言を憚るけど、何百年に1回みたいな格式の高い会で。

デーブ　それすごすぎないですか。大名じゃないんだから。

中野　それであるお寺に行ったんですけど、入口がわからないんですよ。わからないじゃないですか、だって。そんな何百年に1回とかだから、前に経験しているわけもないし。それでお寺の役員みたいな人に聞いてたら、「私もわからなかったんです」ってついてくる人がいて。「え、誰この人、全然知らないんだけど」「何だ？　何だろう？」と思ってる間もついてきちゃって、最後は私は招待者の入口から入らなければならず、その人は一般枠でしたから、「ご一緒に案内していただくお席ではないようなので……」と言ってようやく引き離していただけたんですけどね。私より年上の感じの方ですよ？一人で行動するってことができない人がけっこういるんだなと思ったんですよね。

デーブ　いるねそういう人。

中野　日本は同調圧力が強いというふうに言うと、いやや、そんなことはないですっていう意見がなぜか出てくる。いや別にそういう考えがあってもいいし、私のことが気に入らないならそれはそれでどうでもいいんですけど、でもだからといって観察される事象や現実を生きている人の実感を無視しちゃいかんだろうと思うんですよね。どっちが確証バイアス?って。日本が同調圧力強くないって言うならもっと多くの日本人たちに自分の意見言わせてみろよと思うんですけど、それは無理筋なんですよね。

デーブ　「ジャニーズ問題」で各企業の広告契約の見直しが起こったじゃない?　ジャニー喜多川の性加害問題自体は、どこの企業だって把握していたはずでしょ。週刊文春の報道があって、東京高裁が性加害の真実性を認めたわけですから。それでもジャニーズ事務所のタレントのCMへの起用を続けて、売上増とか様々なメリットを享受してきた。ところが、(藤島)ジュリー(景子)さんが会見で性加害を認めたら、右へ倣えで契約見直しを発表するって、「正義感の群集心理」だよね。あれ、今でも気味が悪いよ。

中野　連日マスコミから「今後、CM契約どうしますか?」って問い合わせがあったらそれもプレッシャーだったかもしれないですよね。

デーブ　そういう理由で契約見直しを発表した企業もあっただろうけど、契約を結んだ責任はその企業にあるからね。被害者のような発表には違和感を覚えた人も多かったんじゃないですかね。広告契約には期限があるでしょ？　契約期間内なら、記者の問い合わせには「難しい問題ですから慎重に検討します。次の契約更新までに結論を出します」でもよかったんじゃないかな。

中野　それでひっそりと契約を終了する。

デーブ　そう。でも「契約見直しを発表しないとうちの会社が批判されてしまう！」って危機感を持ったように見えちゃったよね。

中野　あれも横並びの印象が強かったですね。

デーブ　大学でも誰も質問しないじゃない、学生が。アメリカではうるさいぐらい質問したり意見言ったりするけど。

中野　しない。授業が終わった後に来るの。もう私の時間を何だと思ってるの、授業の時に聞けよって思う。終わってからの質問は受け付けませんって言うとようやく2、3人手が挙がるみたいな。

デーブ　それは優しさだね。

ルールが守られやすい国

デーブ　日本はすごく規律正しいですよ。規律正しさが悪いわけじゃないけど、日本にいると不思議なことが多いですよ。ロックコンサートが終わると1列ずつ帰るとか。

中野　フランスに住んでいたときは、フランス人って自分の意見を言わないと、なんだろ、人として存在してないみたいに扱われるじゃないですか。

デーブ　アメリカもそういうところありますけどね。

中野　あれはあれで日本人としては疲れてしまうところがあるけど、どうして日本はこんなに横並びが強くなっちゃったかなとは思うんですよね。

デーブ　僕、講演をやる時に上映するものがあって、ひとつは駅前のタクシー待ちね。その映像はたまたま広島のなんですけど、全国同じですよ。駅前にタクシー何十台も待ってるでしょ？　あれが1台ずつ順番にお客さん乗せてくのを上から撮影しているってやつで、僕なんかには面白くてしょうがないですよ。タクシーも客もうきちんと待ってるから。ほんと、規律正しい。

中野　日本のコロナの死亡率、ＯＥＣＤ諸国で最低だったというデータが出たことあるんですよね。ウォール・ストリート・ジャーナルで、第7波の前でしたけど。100万人当たり何人の死者が出たかって数字なんですけど、日本はヨーロッパ諸国の10分の1ぐらい、アメリカの12分の1ぐらい。その数字に対するコメントとしては、日本人は肥満が少ないからねというのと、日本人は自分からワクチンを受けに行くからねとか、マスクを外さないからねとか、規律正しさに関するコメントが多かったのが印象的で。

つまり、諸外国から日本人ってそういうふうに見られているんだなっていうのを感じたんですよね。確かにその通りだなとも思って。いまやその規律の中にテレビも含まれちゃってて、オレたちが我慢しているのにあいつらは何好き勝手やってるんだみたいな視線がテレビに対して向いてるのかもしれない。

デーブ　コロナの時もね、近くに誰もいないのにレポーターがマスクしてたりね。

中野　部屋に一人しかいないのにマスクとかね。

デーブ　僕も新幹線に乗ってる時、隣に誰もいなければマスク外してたけど、ワゴン販売の人が来たら慌ててつけてたよ。

中野　なんでですか。

デーブ　誰かが通る時に慌ててつけると真面目に見えると思って（笑）。意識高いって好感度上がるかなって。つけっぱなしだとそう思ってくれないじゃないですか。

中野　……なるほど。

日本は自慢がダメ

デーブ　だから自慢するとかもダメじゃないですか、日本は。すぐ叩かれる。

中野　これはファンサービスかな？って場合もあるじゃないですか。ＳＮＳとかだと。おいしそうなお料理や高そうなワイン、おしゃれなライフスタイル。

デーブ　それも自慢に見えちゃうと、とたんに来るでしょ。日本ってみんな90％中流家庭、中間というふうにしないといけないじゃない。

中野　これってけっこうちゃんとした実験があって、人って相手が手の届かない人なら許せるんですよ。

デーブ　そうなんだ。

中野　そう、例えばエリザベス女王とかだったら誰も何も言わないでしょう。だけど、この人のレベルなら手が届くかも、私もがんばればできるかもっていう感じがどこかにあると、あいつ何様？ってなっちゃう。

デーブ　デヴィ夫人は元社交界だからいいんだよね。ガチでパリとかニューヨークの社交界にいたんで。あんな派手な家具とかもみんな揃えないしね。

中野　そういうことです。たいていの人はああはなれないから。

デーブ　なれない。だから許されちゃってるんだよね。加山雄三とか？　ヨットで許されちゃう。

中野　あとは才能が飛び抜けてるとかですよね。

デーブ　ああ、桑田（佳祐）さんとかか。どんな豪邸住んでても許される。

中野　お金持ちになったら、手の届かないくらいお金持ちにならないといけない。

デーブ　日本だとふつうに金持ちになると嫌われちゃうね。ネットでタレントがちょっとでも自慢するとすごいバッシングされる。でも外国人と結婚して海外に住むとかならセーフかな。中村江里子みたいにフランス人と結婚した場合はどんなに豪華な生活しても許されるじゃない。

中野　確かに。お金を私たち、すごくいけないもののように扱いますよね。お金の扱いもちょっとコンプラに入るかもしれないですね。アメリカはいいんですか、自慢。

デーブ　全然。要するに誰でも稼げるチャンスがあるわけですから。日本って努力して稼いでも言われるからね。顰蹙買う。だから、そこは難しいんだよね。

中野　難しいですね。

デーブ　例えば、お金いくらでもあるようなタレントがテレビで「いやあ物価が高くなって、私、スーパーでなるべく安い野菜を買ってるんですよ」って。そんなことあるかいと僕なんか思うよ。誰って言わないけど。おまえは買えるだろうよ馬鹿野郎って。ところがアメリカでキム・カーダシアンみたいな、稼いでるお金持ちはお金持ちで許されてるんです。そういうわざとらしいことを言わない。

中野　でも日本では言いづらいのもわかる。

デーブ　そう、僕自身、出演してる時もね、気遣いすぎもわざとらしいし、あんまり言って、迎合主義にも思われたくない。それもイヤなんだよね。テレビってそうじゃない？　そこが難しい。

勝っちゃったら「すみません」

中野　お金のことで言えば、「僕、こんなに稼いじゃってごめんなさい」って言ってた人がいて、何で謝るんですかって聞いたら逆に固まられちゃって。謝らなくていいですよと思うけど。

デーブ　日本で宝くじの仕事したことあるんですけど、射幸心煽ってはいけないって言ってて、だからCMだけは派手でも他はほんと地味ですよね。射幸心、難しい言葉ですけど、確か仏教か神道の言葉だけど、英語にはないですよ。日本はラッキーを喜んじゃいけないのかね。高額当選者、発表しないじゃないですか。アメリカはみんな、名前も写真も出て「ラッキー！　こんなにお金もらったよ」ってうれしそうにしてる。国民性も違うけどね。

中野　発表しちゃって狙われたりしないんですか。

デーブ　ちゃんとシステムがあるから。現金あげないし。

中野　あ、そうなんだ。

デーブ　分割で毎年もらうとか、アドバイザーがいて失敗しないようにアドバイスしてくれる。日本は１０００万円以上の高額当選者には『【その日】から読む本』って冊子が渡されるんですって。ローンは返済した方がいいとか仕事はやめない方がいいとか無駄遣いに気をつけろとかアドバイスが書いてあるらしい。

中野　あれに似てますよ。ホールインワン保険。

デーブ　似てる。あれ面白いね、日本しかない。あれも罪悪感から来てるでしょ。

中野　「僕だけ勝っちゃってすみません」。

デーブ　うれしいはずなのに保険ってね。記念品贈ったり祝賀会開いたりするからお金かかるだろうけどさ。ホールインワンにそんなにお金かけなくたっていいのに。あ、でも僕1回、テレビ局のスクープ映像賞を頂いたんですよ。特別賞。すごくうれしくて、中に3万円か5万円、現金が入ってた。もちろんコーナーのスタッフ、作ってくれてるからご馳走しないといけない。それでしゃぶしゃぶ行ったら赤字出た。いや、それでいいんですよ？　かえってその方がいい。

中野　そうですね。セキュリティだから、それは。

デーブ　セキュリティ？　美徳じゃなくて？

中野　こっちは赤字で大変ですっていうふうにしとくと責められなくてすむ。

デーブ　そうか、それもあるね。

中野　文化人類学のリサーチで、カラハリ砂漠ってあるじゃないですか。

デーブ　アフリカの南の方ね。

中野　あそこの部族の人々は、みんなで狩りに行くんだけど、もちろん狩りがうまい人もいれば下手な人もいて、運も左右する。その日いっぱい獲れた人とそうじゃない人が出ちゃうじゃないですか。その時に、「おまえ、今日どれぐらい獲れたの」って聞かれたら、「まあまあだよ」って答えるって言うんです。

デーブ　「ぼちぼちでんなあ」？

中野　そう。運でも腕でも自慢しちゃダメなんです。自慢すると後ろから撃たれるかもしれない。獲れなかった時は獲れなかったって言うんだけど、決して自慢してはいけない。それで、獲れた分はちゃんとみんなで分ける。そういう文化らしい。

デーブ　みんなで分けるんだ。

中野　そのコミュニティがかなり限定的で、他に出て行けないからだそうです。

デーブ　なるほど、日本と似てるかもね。日本は島国で他にあんまり出て行かないし。

謝る時も「すみません」

デーブ　芸能人が不倫とか逮捕とかで謝る時もそうじゃない？　「お騒がせいたしました」「ご心配かけました」。一番心配してるのは家族や自分でしょうに。こっち、なにも迷惑かかってない。

中野　不倫って私はどうでもいいんですけどね。謝るなら家族に謝ればいいんでは、くらいかな。あとは相手のパートナーか。

デーブ　言っとけばいいんですよね、冒頭でね。悪いとかどうとかじゃない。本人はバレて困ったってだけでしょう？

中野　そういう時の日本語は「すみません」ですよね。

デーブ　そう。「すみません」って言えばいいんです、とにかく。

中野　「すみません」に相当する英語はありますか？　Thank you？

デーブ　あんまり謝らないですからね。そもそも記者会見やらない。謝罪会見ないもん。

中野　あ、そもそも会見ないんですね。

デーブ　金屏風がないからじゃないかな。

中野　でもそういう時、記者はどうするんですか？

デーブ　もし本当に聞きたいことがあったら直接聞きに行くでしょうね。でも応じるかな。日本の特徴でもあるんですけど、記者クラブあるでしょ。誰かがホテルを取って会見のセッティングをしてやる。メディアは東京に密集してるし、まとめてドーンとできる、みたいなところもある。うまくやれてるよね。

中野　ただ、叩かれる人に一部共通してるのは、何か楽しんでること自体が許されないっていうか、そういう空気、今ありません？

デーブ　そうですね、そうそう。

中野　この間、ＳＮＳにすごいメッセージが来てて。全然知らない人からなんですけど、「中野さんはすべての仕事が遊んでるみたいですね」って書いてあって。何でこんなこと送ってくるんだろう。

デーブ　あ、それ僕です。

中野　いやいや違いますよ。それでそういうメッセージが来てて、ん？　楽しんで仕事をして何が悪いんだ？ってなるじゃないですか。あなたの人生が楽しくないのは私のせいじゃありませんがって思ったけど、でもそういう人が日本にけっこういるんだってことですよね。

デーブ　いるんですよ。いるの。

中野　渋い顔してないといけないの？

デーブ　そうね、謙虚にしないといけないみたいのあるよね。

中野　それだとテレビはもっとつまんなくなっちゃいません？　楽しい顔を見せるのが

テレビの仕事だと思うんだけど。

デーブ　それはそうだね。でも何で見るの知らない人のメッセージ。

中野　うっかり開けちゃったの。知り合いからかなと思って。

デーブ　ヤフーコメントもね、ちらっと見る時ある。見なきゃよかったと思う。

中野　ヤフコメはあんまり真剣に見たことはないな、私。

デーブ　何か目に入ってしまう時がある、1行目とか。ガムテープ貼ろうと思って。

中野　ヤフーコメントは読まない方がいいですよ。参考になることは書いてないし、あれ、なくせばいいのにと思う。

デーブ　僕はあった方がいい。

中野　え、読むんですか？

デーブ　楽しいじゃないですか（笑）。あの人、どう思われてるんだろ、とかね。でも自分のは読まない。情報収集の一環ね。

メディアチェック

中野　一度聞きたかったんですけど、デーブさんてどれぐらいメディアチェックしてるんですか。

デーブ　イギリスの新聞は全部だいたい見てますよ。朝からよく使うからね。で、アメリカの新聞が5紙ぐらいかな。電子版で見てる。あと東スポ、日刊ゲンダイ読んで週刊新潮と週刊文春読む。あとは日本の新聞の電子版、ネットでチェックする。ニュースが早いから。それに電子版だと写真がカラーじゃないですか。やっぱりそっちの方が見やすい。

中野　テレビ欄も見ます？

デーブ　いちおうざっとね、どの番組がどのテーマでやるか、出演者誰かとか。『報道特集』とか『真相報道バンキシャ！』とか一度も呼んでくれないから悔しいけど（笑）、何やるかなとか。こないだ『羽鳥慎一モーニングショー』はやっと呼んでくれた（笑）。

中野　あとはテレビか。

デーブ　もちろんテレビ見ますよ。決まった番組だけど。自分が出てるレギュラー番組見るのは僕、礼儀だと思ってるから。『ワイド！スクランブル』も自分が出てない日も毎日見てる。他の人と発言が重複してはいけないでしょ。同じこと言ってもしょうがないし。地上波はだいたい見てますよ。ＢＳの討論番組とかも本当は見た方がいいと思ってるんだけど、そこまではあんまりチェックしてないです。

中野　すごいな。自分のコメントのためにいろいろ情報を仕入れなきゃいけないこともあるわけじゃないですか。

デーブ　だから同時にやってる。だって僕の部屋、モニター5台あるから、全部つけて。

中野　よく見られますね。

デーブ　でも、できるよ。テレビは同時に見られる。中野さんは何かやってます？　あ、でも本の原稿に追われてるか。

中野　『ホンマでっか!?ＴＶ』はよく見てる。

デーブ　それは自分が出てるからね。礼儀でもあるし。

中野　あ、ここもうちょっとこう言えばよかったなみたいなフィードバックのために。『ワイド！スクランブル』もそこそこ。

デーブ　それよりは論文誌とか？　科学誌とか？

中野　今は本が多いですね。

デーブ　本ね。

中野　うん、本が多い。

デーブ　コメンテーターの明暗が分かれるっていうか、評価の差って、本読んでる人と読んでない人の違い。いろんな人見ててはっきり言える。

コメンテーターの明暗

中野　そんな違いますか。

デーブ　全然違う。コメントが深い、やっぱり。あと理解力が違う。辛坊治郎さんとかああいう人たちは大阪—東京間、本読んでるんですよ。

中野　ああ、やっぱり。辛坊さんってめちゃくちゃ頭が切れるタイプと思う。

デーブ　僕はお弁当のラベルしか読んでないんですけど。何入ってるかなってずっと見てるんですけど。そういう人たちは本読んでるんです。行きと帰りだけでも1冊か2冊読める。しかも集中して読める。で、余計なことしない。週刊誌とかも買うんだけど、本を読むって覚悟して乗ってる。そういう人が多い。もちろん、iPadでアニメとか見てる人もいればマンガ読む人もいれば、僕みたいにネットばっかり見てる人もいるけど、そういう人たちは本。移動時間がもったいないってポリシーだよね。で、毎週だと本、年間50冊です。

中野　すごい差になる。

デーブ　やっぱり理解力違ってきます。本当に違う。まあ多分家にいる時も読んでるんでしょうけど。

中野　読んでる。

デーブ　もちろん電子版、Ｋｉｎｄｌｅでもいいんですけど、本読むと読まないのコメンテーターの違いはものすごくわかるんですよ。

中野　そうかも。しゃべってても違いますもんね。

デーブ　違いますね。たとえ話とかが。東京と関西往復する人ってそこが有利なんですよ。多いですよ。橋本五郎とか、本読んでんの見てて面白いですよ。昔はね、文化人の事務所とか天井まで本山積みでしたよね。

中野　ただ、本を読んでても変に読む人がいるんですよね、たまに。

デーブ　変にってどういう。

中野　上辺だけ読むっていうのかな。都合のいいところだけ切り取って、自分の考えを補強するところを集めるみたいな。

デーブ　それで読んだとか言う人か。そうか。そういう人もいるか。

中野　そういう人もちょっといるので、全員がいいってわけじゃないかもしれない。読み方もやっぱりあるんだと思いますけどね。

デーブ　変に読むって僕、速読のことかと思った。僕、速読習ったんだよね、若い時、20歳ぐらいかな。それで、今どうしても読まないといけない本は半分ぐらいの時間で、もっとかな、で読んじゃうの。この間はアメリカの大使と会うから彼の本を、名前だけ目に留めるとかして読んだ。動詞と名詞だけ見るとかいろんなテクニックがあるんですけど、できるんですよね。接続語を全部飛ばすとかね。

中野　日本語は何となく漢字だけ読んでれば意味が取れますもんね。いやでもそういう意味じゃなくて、本も読み方によって意味が変わってくる場合があるっていう。

デーブ　テレビもそういうとこあるね。

中野　テレビも見方によっては教養を深めるものにもなるし、上辺だけ楽しむものにもなるし。テレビの楽しみ方って、もっと実はテレビ側が提供してもいいのかもしれないと思うことがある。

デーブ　『クローズアップ現代』なんてね、その日のテーマに興味なくても見た方がどこか何か得しますよ。Eテレの『ハートネットTV』とかも立派な番組。『ワイド！スクランブル』だって、自分たち出てるから言うのはあれなんですけど、世界の紛争地とか、知ってどうするってのもあるんだけど、でも蓄積します、それが。

中野　ナワリヌイさんがどうとかね。ロシアの反プーチンの政治活動家の。

デーブ　そうそう、それを知ってどうすんだっていうのあるんだけど、世界情勢の理解ってそういう情報の蓄積だったりするから。

中野　『ワイド！スクランブル』がずっとロシアのことやって、たまにウクライナやって、何の役に立つんだろうって視聴者からは思われてたかもしれないけど、戦争がとうとう起きちゃったっていうのもありましたしね。そういうところがテレビの大事なところと思いますけどね。

デーブ　僕の知識ほとんどテレビですよ。いや大量に見てるからってのもありますけどね。でもほとんどテレビ。クイズ番組とか情報番組。東京タワーが何で333メートルなのか知ってるのは何回もクイズで出てるから。そういうの多いね。

気をつけていること

デーブ　思うんだけど解説委員とかコメンテーター、あるいはアナウンサーはいちおうある程度の知識っていうか、教養があって、ちゃんとしてなきゃいけないでしょう？　そこで番組のバランス取るというか。

中野　みんなよりちょっと知ってなきゃいけない。

デーブ　ちょっとね。漢字読めるとか。

中野　まあ本当そういうことですよね。デーブさん気をつけてることって何か特にあります？　私は何かもう本当に嫌なやつって思われるからめちゃくちゃ気を遣ってますけど。

デーブ　僕だって気を遣ってますよほんとに。だって前はけっこう怒られましたよ。僕、失言がけっこうありましたから。デヴィ夫人もいっぱいあるけど。デヴィ夫人の場合、日本のルールを知らないでテレビに出るようになったからだけどね。

失敗が一番多かったのは、言い間違い。光ＧＥＮＪＩがすごい人気の時に、バレンタインデーにチョコがトラック2台分来たんですって。午後のワイドショーで僕、ちょっと眠かったので「これじゃあ光ＧＥＮＪＩが仕返ししないといけないですね」って言っちゃった。「お返し」って言おうと思ってたのに。番組はそのまま進行してＣＭ入ってからＭＣの草野（仁）さんが「今の〝お返し〟じゃないんですか」って。それＮＧ

大賞に出たんです。わざとじゃないんです。

中野　ＮＧ大賞、ありましたね。

デーブ　今、ないんです、ほとんど。あれ、面白いのに。

中野　今、テレビはＮＧ許されないから。

デーブ　前はＮＧ大賞、視聴者を楽しませるつもりでやってたんですよね。ドラマの収録の時のＮＧとか、視聴者は見られないじゃないですか。そういう未放送のものとか、あとは当時は気づかないで放送しちゃった失敗とかね。野球の珍プレー好プレーみたいな感じのね。あれ、楽しかったけど、なくなってるね。

中野　今、もうネットでバッシングの対象になっちゃうから。ＮＧに対して悪意を向けられちゃうんですよね。なんというか、閉じられた空間の中のイヤなものがネットに出てきちゃう。

デーブ　昔で言うと、おトイレの落書きね。誰かくたばれとか。今、あんまり見ないよね、落書き。

中野　公衆トイレ、すごかったですよね。

デーブ　すごかったです。２ちゃんねる、今は５ちゃんねるか、の前は落書きしかなかった。「神は死んだ」って書いてあって、矢印引っ張ってその下に「神は死んでないニーチェ」って書いてあったり。そんなのはまだ洒落てるけど、携帯が広まった頃は女の子の番号が書いてあって悪口書かれてたり。

中野　ちょっと異様な空間でしたよね。

デーブ　今、落書き必要ないもん。スマートフォンがあるからそこでやればいい。やっぱり日本を悪くしたのはスティーブ・ジョブズだよ。

文化人枠

デーブ　僕、『笑っていいとも！』に何回か出て注目されるようになって、レギュラーで出るようになったら、ディレクターさんが気を利かせてくれて、お昼を食べに連れてってくれた。それで、「デーブさん、タレントで行くか、文化人で行くか、もう決めないとダメだよ」って言われちゃった。初め、文化人って何だろうって思って。カルチャー、文化放送に出る人かなと思って。カルチャー・クラブっていたよねとか。

中野　そういう分け方、ありますよね。

デーブ　あとその時、日本語はなまった方がいいかもしれないって言われた。

中野　ガイジンっぽく？

デーブ　なまらないように努力してきたのに台無しじゃないかって思ったけどね。初期はみんなけっこう言いましたね。いやそれはいいんだけど、僕らテレビ出る時いちおう「文化人」ってことになるじゃない？　なんだろうねああいうレッテルって。そうじゃない人は「非文化人」か？って。僕は自分が「文化人」と思わないけどね、わかんないですよあの言葉。でも中野さん、「文化人」だよね。

中野　私は自分は「文化人」のつもりです。タレントっぽい番組にはちょっと向き不向きもあって……私は軽妙なやり取りがそんなに得意じゃないですから。

デーブ　今、『ホンマでっか!?TV』とか出てても「文化人」でだよね。

中野　そう。ちゃんとタレントと文化人は分かれてますよ。ギャラも違うし。あちらはあちらでテレビに出るのが仕事で、その専門職だから。一緒に写真を撮ってると、「すみませんちょっと……」ってスタッフが止めに来たりしますよね。

デーブ　面白いね。それは何で。さんまさんに失礼があったら困るとか？

中野　それもあるのかもしれないけど、インスタとかに上げられちゃうと困るって。タレントさんはいろんなところとの契約があって、その辺難しいんじゃないですか。

デーブ　番組撮った後、出演者みんなで写真撮るじゃないですか。記録用に。あとは公式ツイッターに載せたりする用に。撮ったんだけど、後で「すみません、ジャニーズのは使えないから」って来ることとかあるよね。

中野　写真の扱いは難しいですよね。写真撮影も全体で撮った後で「文化人なしバージョン」が撮られたり。

デーブ　なしバージョンね。

中野　大きく違う職種とも言えるからわかるんですけどね。

デーブ　昔は写真はフィルムだし現像してプリントしなきゃいけなかったからたいへんでしたよ。

中野　でもそういうのもデーブさんは取ってある。

デーブ　いっぱいある。今、簡単じゃないですかデジタル化するのも。スキャンしたりすれば。

中野　デーブさんを怒らせると大変なことになりそう（笑）。

デーブ　頼まれたらテレビ局に貸したりもしてますよ。他の人もいっぱい撮ってくれるし、後で送ってと言えばもらえる。でも昔はそういうのないでしょ。だから林家ぺーからたくさんいただきましたよ。ありがたいんですよ。会う度にくれるんです。すごいですよね。しかも30～40枚。

中野　写真立てになるアルバムに。

デーブ　うん。それが無作為に入れてるんだけど、センスがいいんですよ。すごい古いのも入れたり。勝手に撮ってる印象あるけど、ちゃんとしてますよあの人。

中野　ちょっといい思い出の感じもしたり。

デーブ　そうそう、すごい貴重なものいっぱい。焼いたやつってなくならないね、不思議とね。どっかにある。赤ちゃんの時のでもね。

中野　確かにね。意外と取っときますもんね。

メディアの「肩書き」

デーブ　肩書きで言えば面白かったのは『バイキング』。終わっちゃったけど、坂上忍の画面右側はタレントなんですよね。で、逆側は文化人ではなく「専門家」席だったんです。文化人って言い方はしないで専門家。芸能の記者とか、何でもいいですよ。警察に詳しいとか。僕も専門家側、何の専門かわかんないけど。言い方、悪くないなと思った。

中野　あと「有識者」っていうのもありますよね。

デーブ　有識者じゃない人って何なんだって思うよね。

中野　「無識者」？

デーブ　それひどいね。あと「ブレイン」って何なのかなと思って。あれ、脳みそだよ。アドバイザーなのか、作家なのか、ブレインって何なんですか。

中野　よく考えると失礼な言い方ですよね。

デーブ　そうそう。

中野　「おまえ、ブレイン付けたほうがいいよ」って。「え？　脳なしってこと？」みたいな。

デーブ　「デスク」とかね、「デスクに聞いてみる」って、机でしょ。どうやって聞くのかなと思って。あと、ニュースとかで「無職」って出るじゃないですか。おかしくないですか？　無職って書くというのは。英語でUnemployedって書かないですよ。

中野　私、この問題、デーブさんに聞きたかったんですけど、「社会人」って英語で言わないですよね。

デーブ　Adult。

中野　ただのAdult、大人ですよね。日本だと「立派な社会人になれませんよ」とかってよく言うんだけど。

デーブ　言うね。

中野　あれ、たぶん会社にいる人っていう意味なんですよ。われわれ、おそらく「社会人」じゃない大人っていうのは、ホームレスに近いような印象、はみ出している人。

デーブ　服役中とかそういう。

中野　いやいや、そこまでいかないいんだけど、何やってるかよくわからない人みたいな扱いで括られることがあって。だから「無職」っていうのもきっと、そういう〝社会に出られない人のことなんですよ。社会の網の目に入って、「この人はちゃんとした人だ」というのを曲がりなりにも認められているのが「社会人」で、そこから外れた、何してるかわからない人が「無職」。

デーブ　じゃあ僕も中野さんも「タレント」とか「脳科学者」とか取ったら、会社員じゃないから「無職」か。

中野　デーブさんは「会社経営者」とか「プロデューサー」とかあるでしょ。

デーブ　でも、お金持ちでも無職って変だよね。
中野　うーん。インフルエンサー、って言うとか？
デーブ　日本の肩書きは非常に面白くて、例えばちょっと危ない人、言えない職業の人と付き合ってる女性タレントとかがよくやるのは相手の職業は「高級外車輸入業者」とかね。言い換えるんですよ。
中野　独特ですよね。
デーブ　あと、前はホステスとかママとか、そういうわかりやすい言い方をしてたんですけど、今は「飲食業」。それって気遣ってるのかなと。
中野　気遣ってますよ。めちゃくちゃ気を遣ってる。

便利な日本語

デーブ　そういう日本語のあいまいさで助かるってことありますよね。はっきり覚えて忘れられないんですけど、ずっと前に北海道で深夜に地震が起こったんですよね。NHKの北海道の支局から中継があって、NHKの記者が東京のスタジオのアナウンサーから聞かれてるわけですよ。「地震が発生した時はどこにいましたか」とかって。あれはたぶん11時ぐらいだった。その記者、「はい、いわゆるスナックですか」って言ってて。いわゆるってつけるといいのかって思った（笑）。しかも疑問形にしてるから、最高の言い回しだなって思ったんですよ。

中野　記者が嘘はつけないですもんね。

デーブ　今だったら「飲食店におりました」って言うかもしれないけど、当時はスナックを飲食店って言い方しなかったし、ちょっとまずいかなと思ったら頭に「いわゆる」つけて、疑問形にする。最高ですよ。

中野　「いわゆる統一教会ですか」。

デーブ　そうそう。「いわゆる信者ですか」とか、あいまいになるから。日本語便利だなと思う。コメントする時も、ちょっと直接的すぎるかなって場合は自分の意見でも「という声がある」って言ったりね。どこの声と思うけど。

中野　「と言われている」とか、「みなされている」とか。

デーブ　別に嘘じゃないですから。いつもそう。要するに、他人事にする。「一部ではこういう情報があります」とか、自分を情報源にしない言い方ね。あとよく使うのは、また便利な言葉だなと思うけど、「ちまたでは」。ちまたって一体どこ？って調べたら東京の足立区らしいです。

中野　本当ですか？

デーブ　これ噂ですよ、もちろん。足立区って視聴率の調査をする機械が多いっていうね。それもそうだけど、足立区は3世代同居の持ち家が多いんですって。地方も3世代同居多いけど、昔ながらの日本の家族が多いって。

中野　あとは面白い味、個性的な味とかふだん聞きますよね。

デーブ　どんな時。

中野　お料理がおいしくない時。

デーブ　グルメレポーターも「一生忘れられない味」とか「素材を生かした味」とか言うよね。それって当たり前じゃない、素材の味しなかったらおかしいよ。

中野　「インパクトありますね」とか。ただまじめな話、食べ物とか、健康食品系のものについて発言する時に私はけっこう気を遣います。すごい怖い。薬機法、医事法違反になるから。

デーブ　薦めてるみたいに取られる？

中野　それもあるし、人によってはアレルギーあるかもしれないし、あと薬も絶対いいとかもちょっと言いにくいし。

デーブ　そういうことね。

中野　話を戻すと、アイヌ語だと四人称っていうのがあるらしくて。一人称はIでしょ、二人称がyou、三人称がheとかsheとかtheyだけど、四人称って空気とか神様なんだそうです。そういう意味では日本語にもありますよね、「みんな」っていうのが。

デーブ　「みんな」ね。みんなって誰と思うよ。

中野　そうそう。「そういう空気がある」っていう時に「みんなそう言ってる」とか。みんなっていうのが日本語には「隠れた四人称」としてあるんじゃないかな。

デーブ　何人以上かわかんないしね。

中野　そう、でもかつては日本でもその空気みたいな雰囲気も神として扱っていたから、たとえば疫病が流行るとか、大地震が起こるとか、そういうものの原因だと思っていたから、鎮めるための祭りやったりとかしてるわけですよね。

デーブ　日本の祭りもまたわけわかんない。

中野　確かに不思議ですよね。アメリカの感謝祭とかとちょっと違いますもんね。

デーブ　あれは具体的ですよね、インディアンにトウモロコシを教えてもらってありがとうっていうね。すごくわかりやすい。

直接は戦わない

デーブ　便利な言葉、他にもいっぱいありますよね。番組クビなのに「卒業」とかね。日本は優しいですよ。「卒業」ってそんな優しい表現あります？

中野　私、永井路子さんの『この世をば』って小説を読んでて、これ、1000年前とかの話を書いてるんですけど。

デーブ　よく覚えてるね。すごい年だね。

中野　藤原道長の時代でけっこう文献がありますから（笑）。道長というのは自分の娘を4人も天皇の妃にしたというまれに見る人なんですけど、またその娘の産んだ皇子がみんな天皇になっていくんですね。その権勢たるやすごいものですよ。

デーブ　そうなるね。

中野　その道長がこんな風に宮廷内を立ち回ったんだろうというのを描いてるんですね。これがすごく面白くて、道長の場合、議論を行うというのと真逆なんです。この人が自分の立場を危うくするだろう、という人をとりあえず懐柔するの。ご褒美のように官位官職を与えるんだけれども、でも、それを受け取るともうそこからは出世できないみたいな。一見いいことをしてるようなんだけど、一見仲間みたいなんだけど、おまえはもうここで頭打ちねということをやって、自分しか残らないようにするんです。

デーブ　うまいね。

中野　日本の社会はそういうことをずっと連綿と続けてきたんじゃないかなというのを読むと感じないわけにはいかないんですよ。今もうまい人ってそうじゃないですか。自分の敵とみなすような人は仲間になったように見せかけて、でも「おまえはオレよりは下な」というのをやる。

デーブ　会社なら人事異動でね。

中野　そうそう。そういう戦いなんだと思う、議論とかじゃなくて。

デーブ　全部直接対決は避けるやり方なんですよね。「卒業」もそうじゃない、だって、言い方として。

中野　私たち、京都の人のことを「ぶぶ漬けおあがりますか?」みたいな言い方指して「はっきり言わない」とかって言うけど、でも日本人全体がそうだと思う。

デーブ　デモとかもしないしね。アメリカのゲイはデモしたり暴動起こしたり逮捕されたり殺害されたり、すごい歴史があって。ニューヨークのグリニッジ・ヴィレッジで起きたストーンウォール暴動からゲイ解放運動が広がったんですよね。1969年。映画にもなった。「ソドミー法」ってのがあって、LGBTQってだけで罰せられたりした。イギリスもそう。数学者のアラン・チューリング、ゲイだからって逮捕されてるからね。ゲイも黒人の公民権運動と同じぐらい、やっと権利を獲得したという長いバトルあったけど、日本もゲイ・カルチャーちゃんとあったけど、そんなことないもんね。民主主義も含めて、いろんなバトルしないでうらやましい。

中野　見えるバトルじゃないんです。

デーブ　学生運動だけだよね、目に見えた戦いというのは。

中野　あれは日本式の戦い方じゃない。日本は見えないバトルをするんです。見えないように。

デーブ　プラカードなしで。

中野　なしで。やっぱり根回しみたいな戦い方になるんですよ。法廷闘争まで行くとむしろそれは決裂の証というか、事態を解決するのはむしろ示談だったりする。

日本の労働者は立ち上がらない

デーブ　ストもほぼやらないじゃない、日本。電車とかゴミ収集とか止まらないからありがたいけど。フランスとかすごいじゃない。

中野　フランスではストライキのことグレーヴというんですけど、しょっちゅう起こる。何かもう、マニフェスタシオンというんですけど、デモもしょっちゅう。マニフェストしないと要求は通らないと思ってるんです。日本っていろんなサービスも忖度で回るじゃないですか。客の意図を読み取ってくれる。でもフランスはそれゼロ。むしろマイナスで、オートマチックに物事が進むだろうと待ってると何も進まない。3回ぐらい催促しないと進まない。

デーブ　アクションが必要。

中野　そう。日本だったら一瞬で炎上すると思うんですけど、フランスだとそれが当たり前で、予約したホテルも勝手にキャンセルになるし、マニフェスト、マニフェスト、マニフェストしないと。私は絶対に予約した、証拠もある、部屋寄越せみたいに。

デーブ　僕も、こう見えてもアメリカの労働組合2つ入ってるんですよ。ひとつは子役やってた子供時代から俳優の労働組合。もうひとつは監督組合。前は3つだったけど、ひとつ合併したから2種類。労働組合に入るのはプロ意識というか、プライドですよ。日本は企業ごとに組合あるけどアメリカはない。業界とか業種全体の組合。だから、そこに入れるというのは一人前の証でもあるんですよ。そう簡単に入れないとか。

中野　日本の組合は割と仲良しクラブ的というか、欧米で言うユニオンとちょっと違いますよね。

デーブ　あっちはみんなプライド持ってるから。日本でも春闘とかメーデーやるけど、昔は労働組合って言った途端に「あの人、出世諦めてるな」とか「浮いてるな」みたいに言われたでしょ。

中野　フランスはマニフェスタシオンするのも、がんばってやってるとかじゃなくて、そもそも日常からそうなんです。「えっ、私はジャンボンとフロマージュのタルティーヌを頼んだよね、何で来ないの」が普通で、「どうして出てこないの」「どうしてあの客が先なの」と、かなりの確率で言わないといけない。すごい疲れる。

デーブ　自己主張しないといけない。アメリカだってそう。ユニオン、アメリカでも減ってたんですけど、最近またスターバックスとかアマゾンがユニオンを作ったりしてるんですよね。誤解があるんですけど、別にがめつく給料上げてほしいとかじゃなくて、そもそも働く環境が悪いから。搾取されてたり、休憩時間足りないとか、お金だけじゃないんです。僕が子供の時入ってた舞台役者のすごく古いユニオン、あれはマチネとソワレの間に食事が出ないとか、温かいごはんが欲しいとか、そういうので始まってて。

中野　えええ？　そうなんですか？

デーブ　いや、だって、できたの100年とか前だから。

中野　ああ、そういうことか。

デーブ　最低賃金が決まってたりね、みんなそれでやってるので。

中野　雇用契約書の代わりみたいな感じ。ここのユニオンの人と仕事をするときにはこの労働条件は守ってねっていう。

デーブ　そうそう。だからユニオン入ってる人は入ってない人より賃金が高くなるので、ユニオンに入ってない人を使うというそこの問題は生まれる。そこは難しいところですが、ユニオンの意味合いが日本と違う。

中野　社会の構造からして違うので、議論の習慣がないみたいな表層的なところだけを見て、日本ももっととかっていうのって根本的な問題解決にはつながりにくいと思うんです。日本はそもそもあんまり人が移動する文化でもなかったし、つまりは雇用する側もけっこうちゃんと面倒見てやらないと、いつ造反されて何が起こるかわからないから。
デーブ　子々孫々祟るみたいな？
中野　本当にそういうことになるから、あらかじめこれだけ出すから黙っとけよという文化じゃないですか。それに対して何か言うというのは「もうこの村にいなくてもいいんだね？」みたいな扱いになるわけですよね。

戦わないことと批評性

デーブ　欧米だと批評文化ってあるじゃないですか。演劇でも映画でもテレビ番組でも音楽でも本でもグルメでも全部。日本、なかなかないですよ。忖度のない批評って。田中康夫はすごかったです。彼が『噂の眞相』でやってた「東京ペログリ日記」。レストランどうのこうの、はっきり書いてある。ミシュランのずっと前ですよ。すごかったですよ。『噂の眞相』だし、何の縛りもない。
中野　なんでもありの雑誌。
デーブ　自由なものだった。これ、ネットの前ですよ。彼が初めてだったと思うんです、ちゃんと言ったのは。アメリカは批評が多すぎて、逆に訴えられたりすることもある。

レストランが批評で潰れたりするんですよ。まだ軌道に乗ってない時期、方向性決まらなくてバタバタして、なのにオープニングの日に来て、これはひどいって批評出たらかわいそうじゃないですか。だからダメージを与える面もあるんだけど、日本、批評がなかなかないんです。

中野　ないですね。

デーブ　最近、映画で星印つけるとか、ちょっと目立つようになったけど、まだあんまりですよね。説明するだけで終わっちゃって。食べログとかで星のつけ方が問題になったり、良し悪しはあるんですけど、それでもいちおう一般の人の意見の平均が反映されてはいるから、批評は批評になりますよね。でもとにかく日本は直接言わないという。

中野　直接言わない。そう。

デーブ　こんなつまんないドラマ見たことないってなかなか言えないんです。ネットが今、無法地帯なので、あることないこと言うっていうのはありますけど、でも田中康夫が先駆者です。日本の批評文化の先駆者。

中野　日本の批評文化みたいなのは、誰か特定の人の名前で書いたものが活発かって言うとそこまでじゃないかもしれないですね。昔は批評家の存在感がもっとありましたけど。

デーブ　競馬の予想と同じなんです。新聞ひとつだけの予想じゃダメですよ。いくつか見て、それでやっぱりこの馬来そうだなというものでしょ。本の書評ひとつだけ読みたいわけじゃない。映画も音楽もみんなそうでしょう。

中野　複数いないとね。

デーブ　複数いないと。今、アマゾンのレビュー見るじゃないですか。つまんないものを買っても。猫の砂でも。

中野　でも、アマゾンのレビューだと業者が入ってないかなとか。

デーブ　そうなんです。何かの操作があるんじゃないかなとか、わかんない。

中野　それだと批評とは言えないし。

デーブ　ちゃんとした名前のある人がやった方がいいんですけどね。

中野　匿名の批評ってハックされちゃうんです。コンテンポラリーアートはそれがちょっと問題になっていて、何でかと言うと、評価が値段に直結するんです。

デーブ　それはそうだよね。

中野　残念ながら日本は批評文化がやや薄いので、売れてる感というのを広告代理店的なスキームで、作ることができてしまう。広告代理店が作った値段空間にいる人と元々のアートシーンの人とですごい乖離がある。つまり、元々から知ってる人にしてみれば「この作品に何千万円⁉︎」みたいなことが起きていて、またそれを言わないんですよね。

デーブ 言わぬが花。

中野 でもそうじゃない側の人は人で「売れたもん勝ちだろ」って思っているフシもあって、そういう分断が起きてる。

デーブ アメリカでも映画の評論家ってあんまり評価されてなかったですけど、初めてロジャー・イーバートって新聞で映画批評書いてた人がピューリッツァー賞を取ったんですよね。そもそも映画の批評というのは重要で、ちゃんとした書き物として見られてたし、芸術性高いものという認識もみんなあったんですよね。だから、レストラン・クリティック、レストラン批評家とか何々批評家もちゃんとやっていればアメリカでは評価される。日本はそれがないですもんね、なかなか。

中野 「クリティック」という言葉がうまく入ってきてないんですよね。ただ非難するもののように思われていて、批判というのもいい言葉じゃないと思われてるんです。

デーブ クリティックは、でも、褒める時も批評ですから。ただ、「批評家の銅像が建ったことはない」って名言もある。ベートーベンや坂本龍馬はあっても、その批評をする人の銅像は1個もないというね。人様のものをどうのこうの言ってるだけでしょってね。僕だって日本のドラマのことをけっこう厳しく言うのは大好きだけど、褒める時は褒めますよ。でも、あんまり求められないんです、正直。

中野　コンプライアンスに触れない部分で批判するという技術が必要なんですよね。

デーブ　損害を与えずにやるってのがね。

中野　それでもね、批評がないところに批評のようなことをしようとするというのは難しいのかな。

デーブ　まだまだ難しい気がするね。

中野　コンテンポラリーのいいものはいいものとして評価をしたいねという気持ち、みんなあると思うんです。みんなあるんだけど、でも、やっぱりマーケットに慣れてる人にやられちゃう。ずぶずぶの言葉で覆いかぶされちゃって、批評にならない。そこをどうにかできないかなというふうに思ってる人は多いと思うんですけど。

放送番組審議会

デーブ　日本のテレビ局に放送番組審議会ってあるじゃない。僕、一番やりたいのはそれ。そう思ってるよ。何でかと言うと、別にお小遣い欲しいわけじゃなくてね。月いくらくれるのか知らないし、あるいはすっごいお弁当が出るとかわからないけど、僕が一番詳しいから。一番見てるんだもん。しかも出演もしてて、アメリカのテレビ事情も知ってる。出演者も知ってるし、舞台裏全部知ってる、編集もできる。

中野　考えてみればそうですよね。そんな人、なかなかいない。

デーブ　いないよ。なのに、誰も僕を使わない。つまり、迷惑なんです、本当のことを言うから。やりました、やってます、っていう「形」しか欲しくないの。そうでしょ。実際、いろんなところから指摘されてるけど、審議委員も利害関係ある人ばっかり。放送局側が委員を選べるからさ、そりゃそうなるよ。

中野　そうかもしれないですね。

デーブ　僕がやった方が早いってと思うんだよね。しかも、一人でやった方がいい。ほかの人、邪魔だもん。でもそこは聞きたくないの、日本は。

中野　なかったことにしたい。

デーブ　自分で言うのはあれだけど、本当は一番、参考になるのに。番組レベル、番組のプロデューサーまではいいですよ。だって、お互いよく知ってるし。

中野　顔が見えるから。

デーブ　見える。話、聞いてくれる。でも上行くとダメですね。

中野　そういう批判や批評に日本の会社組織は耐えられるようにはできていないんですよね。批判や批評にどう対処するかというメソッドがあまり定着していないというのもあるのかな。むしろ大事なのは根回しで、周りに気づかれない間に直しておくっていうのが日本かも。

デーブ　裏でこっそりね。なまじ会見とかではっきり言ったりすると叩かれたりするしね。「ジャニーズ問題」の時さ、東山（紀之）新社長が叩かれてたじゃない？「火中の栗を拾った」って評価されてもよかったのに。謝罪会見はふつう、今後二度と起こらないようにしますとか検証しますとか言うけど、何やるか、検証の結果がどうだったのかはあんまりはっきり言わないんですよね。

中野　検討しますとかね。

デーブ　検討しますって言うよね。あれ、断るって意味なんですね、検討しますって。

よく言われた。外国人のビジネスマンが日本の取引先から「検討します」って言われて最初は、「よかった、検討してくれるみたい」って思うけど、いやいや、あれは断る時のワンステップだったんだって、後になってやっとわかるんだよね。

中野　考えておきますわってやつですよね。直接的にね、言わないんです。

デーブ　面白いよね。言葉のファジーさで得してる。具体性がない言葉が多くて助かってる。例えば、「よろしくお願いします」ってまったく意味がないじゃないですか。

中野　挨拶ですよね。

デーブ　集英社の『月刊プレイボーイ』がすごい予算かけてできた時、世界中のいろんなところ行ったの。アメリカロケや取材も多かった。それでアメリカのモデルさんの取材で日本からカメラマンと編集者が来て、僕まだアメリカいる頃で通訳で参加したの。それで「よろしくお願いしますってモデルさんに言ってください」って言われたのね。でも「それはないんです」って言ったの。ないよ、その言葉は。Please try your best って言ったら失礼だもん、だって、プロだから。

中野　「よろしくお願いします」の概念がない。「社会人」がないのと似てる。

デーブ　テレビの現場とかで「お疲れさま」って、疲れてないのに言うじゃない。英語で「お疲れさま」は Nice job って言うんだよね。これはまああるね。「がんばってください」も面白い言葉で、失敗してもいいって意味が入ってますよね。がんばっても成功するとは限らないし。これも英語にないんですよね。

中野　Good luck とか？

デーブ　そうねえ。そうなるか。あとはコンビニで何も買い物をしてないのに「ありがとうございました」って言うじゃないですか。あれも意味ない。でも日本で暮らしてると意味ない言葉って便利だなと思いますよね。一番無駄な言葉が多いのは大阪弁。「言うたら」。必要ないじゃないですか。最高に面白いけど。

中野　確かに。「知らんけど」とか。

デーブ　「知らんがな」と「知らんけど」ね。

中野　まあ「知らんがな」は相手がなんか言ったことに「いやいやこっちまで巻き込まないでください」って意味合いがあって、「知らんけど」は会話の最後につければ、今の話に責任持てないよって意味になるみたいですけどね。知らんけど（笑）。

不安遺伝子と日本人

デーブ　日本人が直接戦うのを避けるのはわかる。だけどその代わりって言ったらなんだけど、ネットとかだとえげつない悪口書いたり、コンプライアンス違反だって炎上させたり、週刊誌とかご近所には憲兵隊みたいに告げ口するじゃないですか、あの人不倫してますとか、あの家は実はとか。

中野　あの人、裏でこんなことしてますよって。

デーブ　日本人て規律正しいし、我慢するし、一番コンプライアンス守りやすい国なのにね。コロナの時は「お願いベース」でみんな行動自粛してほとんどロックダウンだもん。「お願いベース」って言葉、すごいよね。アメリカ人、わからないよ。「何かもらえるんですか」とかなると思うもん。あれも忖度だよね。

中野　でもたぶん、それってコインの裏表で、規律正しさと炎上って。誰が一番リベンジしやすいかって調べると、攻撃性が高い人と思うでしょ。だけど実際は誠実性が高い人なんですよ。

デーブ　えー、それは厄介。

中野　そうでしょ。自分は誠実に振る舞っているのに、あの人は何だとなる。誠実な人ほど、自分はマスクしてるのに、あいつは何で外しているんだとなる。しかも、日本人て世界で最も「不安遺伝子」を持つ民族だっていうデータがあるんですよね。

デーブ　「不安遺伝子」？

中野　セロトニンっていう脳内の神経伝達物質があって、「幸せホルモン」って呼ばれることもあるんですけど、ノルアドレナリンていう他の神経伝達物質の制御をしてるんですね。ノルアドレナリンは分泌されると緊張したり、恐怖を感じたり、身を守るために積極的になる。これをちょうどよく調整してるのがセロトニン。

デーブ　なるほど。

中野　で、このセロトニンを神経細胞間でやりとりする際にセロトニントランスポーターというのが量を制御するんですけど、これをあんまり作れない遺伝子が「不安遺伝子」って呼ばれてて、日本人はこの型の遺伝子を持ってる人が多いんです。つまり、セロトニンをうまく使い回せないから不安になるし、楽観的になりにくい。

デーブ　それ、困りますね。

中野　日本人の68・2％が2セットある遺伝子のうちの2セットともこの型を持ってるって言われていて、アメリカ人は18・8％。1セットだけでも持っている人を含めると、日本人は97%の人が不安遺伝子の持ち主ですよ。

デーブ　なんかわかるね。その数字。

中野　この遺伝子の面白いところは、ただ不安傾向が強くなるだけじゃなくて、自分が理不尽な目に遭った時に仕返ししてやるっていう気持ちが強くなるんですよ。自分が我慢してるのに、何であいつだけ得してるの?っていう時に特に。

デーブ　やな遺伝子だな。

中野　その人を引きずり下ろしたいっていう気持ちが強くなる傾向というか。自分の得を捨てても、時には命を捨ててでも、あいつを痛い目に遭わせてやるってなる。

デーブ　怖いねそれは。リベンジャーだ。

中野　そうです。まさにそういう感じ。リベンジの遺伝子ですよね。

デーブ　バッシングの強さは、それが関係しているということなんですね、コンプライアンス強く言うのと炎上の強さは裏表か。

中野　もしかしたら、日本人がコンプライアンス好きなのは自分の知らないところで不当に得している誰かを、引きずり下ろす口実を見つけたいからかもしれない。これこそ、「闇」ですよね。

第三章　カルトの罠

テレビのサブ・コンプライアンス

デーブ　前に安倍元総理の国葬は是か非かってのが問題になったことあったでしょ？　そのネタ取り上げてる情報番組がＣＭに入ったら「小さなお葬式〜」って葬儀社のＣＭ流してて。すごいタイミングだなと思ったよね。

中野　またそういう……でもあの安倍さんの銃撃事件で改めて統一教会の問題がクローズアップされるようになりましたけど、テレビ局は最初、統一教会の名前出さずに「宗教団体」としか言わなかったじゃないですか。あれはなんでだと思いますか？

デーブ　どこもそうだったよね。「宗教団体への恨みが安倍元総理大臣に向かったいきさつを詳しく調べています」とかね。警察発表じゃないからって聞いた。団体名はとっくに特定してるのにね。

中野　団体名を伏せるのって、意味あります？　だって……。
デーブ　そうなんです。そのとおり。だって昔は統一教会の報道、テレビもすごかったですよ、警察発表なんか関係なかった。オウム真理教の事件の時もそうですよ。自分たちで取材して報じてた。新潮や文春もいっぱいやってました。そう僕も局の人に言ったけど、警察まだ言ってないからって。やっぱり警察発表待ちっていうのは実際にはあるので。
中野　裏が取れてなかった？
デーブ　独自では取れてなかったのかもね。そうなると警察発表がないと正式じゃないから。テレビが慎重なのはよく言われるんですけど、公共の電波だし免許制ですから、元総理大臣のことですしどうしても慎重になる。NHKが伝えてるからってテレビ朝日とかTBSが報じたりしないですよね。自分たちで取材して裏取るか、発表を待つしかない。ある意味ではきちんとしてる。例えば全ての民放がやってても、自分たちだけ裏取れてなければやらないですよ。遅れるけども、しょうがないです、それはね。
中野　何か別の理由で、例えば内部に統一教会信者がいっぱいいるとか？
デーブ　統一教会はないと思う。他の某宗教団体はいっぱいいますけど。むしろそれこそ忖度があったんじゃないですか？　警察に対する、他の宗教団体に対する。あるいは、統一教会に関係してる政治家がいっぱいいるし、それこそ安倍さんも絡んでたから、そこを気遣ってたのかもしれない。その後はけっこうやってましたけどね。

中野　宗教はいつからテレビで語ってはいけないものになったんですか。

デーブ　仏教とかキリスト教なんかはＮＨＫでやってたりするけどね。

中野　般若心経とは何か、みたいなのはね。旧約聖書の世界とか。その一方で、新宗教って言えばいいんですかね。それこそサブ・コンプライアンス的な何かが働いてる気がして。

デーブ　それで言えば、カルトっていう表現は大丈夫ですかって、僕聞いたんですよ。テレビの人たちに。そしたら今はあんまりアナウンサーとかナレーションでは言わないらしいですよ。コメンテーターもあんまり。有田芳生さんとか紀藤（正樹）弁護士とかああいう人たちは言ってもいいんですね。専門家だから。30年前、問題になってた頃はカルトっていう表現全然平気だったですけどね。でも日本語って面白いなと思うのは、「カルト的」はいいのね。「的」とつければいい。日本語って便利ですよ。

中野　「カルトを思わせる」とか「カルトの要素がある」とか。

デーブ　そうそう。

カルトの定義

中野　カルトとカルトじゃないものの違いは何なんですか。

デーブ　今日もヤフーにちょうど載ってたんですけど、カルトと宗教の違いは、まずカルトはカタカナで宗教は漢字って。

中野　そこですか⁉

デーブ　カルトの定義ははっきりしてるんですよ。別に議論する余地もないぐらい。だから、そこをみんなもう少し意識した方がいいと思うんです。簡単ですよ。カルトは破壊的教団、破壊的って、つまり家族を壊す。

中野　社会を壊すってことですか。

デーブ　社会を壊すことが目的とは限らない。フランスにはカルトって認定する場合の基準が10個あって、ひとつでも当てはまるとカルト。「法外な献金」とか「反社会的な説教」とかあって、「元の生活からの意図的な引き離し」とか「子供の強制的な入信」も入ってる。あとはマインド・コントロール使うのが大前提です。スティーヴン・ハッサンの『マインド・コントロールの恐怖』とか読むとよくわかるけど、自由がなくなる。信教の自由はあっても、今度はやめる自由がなくなるんですよね。自分の意思でやめられなくなる。

中野　もちろん厳密には違うでしょうけれど、暴力団のようなイメージですか。

デーブ　そうそうそうそう。

中野　関西初めて行ったとき、東京と違うなと思ったんですよね。電車に乗ったらドアに「指詰めに注意」って書いてあって、「え？」と思って。

デーブ　それ違うやつ。ドアに手を引き込まれないようにって意味でしょ。

中野　そうだけど、「電車の中で指詰め⁉」ってその文字面に一瞬ビビりまして……。エレベーターにも書いてあった。

デーブ　それ、いいネタだね。だから、カルトの定義ははっきりしてるんです。僕の理解だと、カルトは家族を壊す集団。僕、高校時代の友人がカルトに取り込まれてしまったことがあって。だからカルトとかマインド・コントロールすごく勉強したんですよ。ヨーロッパは基準が厳しいんですけどね、アメリカはけっこうカルトがある。

中野　フランスは確かに厳しい。フランスでは「セクト」と言いますけど、「反セクト法」がある。

デーブ　フランス、ベルギー、ドイツ、あの辺は第二次世界大戦でヒトラーのマインド・コントロールの苦い経験もあって、ものすごく厳しいんですよね、アメリカ以上ですね。中でもフランスで法律ができたきっかけはやっぱり統一教会で、入信した子供と連絡を取りたくても取れなくなった親たちの運動が始まりだったと言われてて。

中野　それでちゃんと定義された。

デーブ　そうです。カルトは2種類あって、破壊的なカルトとビジネスカルト。破壊的なカルトは出家させたり、入信しない家族や知り合いと縁切らせる。

中野　オウム真理教がそうでしたよね。

デーブ　そう。縁切らないとそういう人たちからやめろって言われるからね。あらかじめ縁を切らせる。ひどいですよ。家族をバラバラにして、崩壊させてる。入信した本人はわからないんですよ。自分がカルトに入ってると思ってないから。

中野　本人はそっか。だから続けられる。

デーブ　ビジネスカルトは今イギリスとかで社会問題になってるけど、別に出家しなくてもいいし、目的はお金集め。言ってることは宗教じみてるけどね。でも今はふつうになってても、1000年前の宗教は全部カルトだった。僕はすべての宗教は不条理すぎると思ってる。

カルトの仕組み

中野　古代ローマにおけるキリスト教もはじめはカルト扱いでしたよね。

デーブ　そうそうそう。キリスト教が一番わかりやすいかな。聖書に出てくる「奇跡」って今は科学で説明つくわけじゃない。例えばモーゼが紅海を割るじゃないですか。あれ、アメリカの国立大気研究センターが「物理的に可能」って暴風雨のシミュレーションで証明したんですよね。韓国では暴風雨なんかなくても20ヶ所くらいで「海割れ現象」が起きてる。中国でも起きてるし、不思議でも何でもないんですよ。海が割れて道ができるなんて。当時はグローバルな知識も何もなくて、自分たちのエリアしか知らないから「奇跡」にしちゃったけど。
「エクソシスト」って映画でリンダ・ブレアが演じた女の子に悪霊が取り憑くじゃないですか。別人の声でしゃべったり、暴力ふるったり、ひどいこと言ったり。それで神父さんが呼ばれるけど、あれだって病気の一種でしょ？

中野　微熱があって嘔吐して、汚い言葉で人をののしったりするという症状に当てはまるのはチック症の一種で「汚言症」っていうのがありますよね。

デーブ　映画だからまだいいんだけど、でも昔、科学的知識がない頃は「呪われてる」と思って神父さん呼ぶとか、悪霊はらう人呼ぶとかしてたわけじゃない。

中野　ただ、私思うんですけど、病気っていうふうに名付けられてるもののほとんどは機序があんまりわかってないんですよ。なので、現代でも呪いだって言われたら信じる人いるんですよね。

デーブ　きじょ？　鬼女？

中野　あー、メカニズムですね。機序です。「機構」の「機」と「秩序」の「序」。

デーブ　それは科学的な根拠なくても信じる？

中野　極端なことを言えば、科学にできることは名前をつけることだけなんですよ。病気の機序、メカニズムは実はわかってないことが多い。症状にいちおう名前はついてるけど、何の薬が効くのか、何が原因でなったのかもわからない症状も多くて、それを「神の祟りです」とか「怒りです」とか言われたら信じる人はいると思うんですよね。

デーブ　説明できないからってカルトにいく必要はないでしょ？

中野　もちろん、その通りです。でもどんな形であっても説明が欲しい、自分がこんな目に遭う理由が知りたいという人が一定数いるから、言い方はよくないかもしれませんが商売にはなる。

デーブ　そう。その一定の人たちがカモになっちゃうんだよ。大学で新入生を勧誘するじゃない？　1000人に話しかけて1人でも引っかかればオーケーですよきっと。儲けになる。一生お金払ってくれるんだから。ネットのスパムメールの詐欺ビジネスと一緒。100万人に1人でもクリックしてくれればオーケーなわけでしょ？　だから大量にスパムが送られてくる。

中野　詐欺メールの場合、引っかかる人が0・6％を超えればペイするそうですよ。

デーブ　それと同じ図式だよね。だから地獄に堕ちるって言われると怖くなったり、その組織から離れられなくなってカモにされる。あとはミニカルトってのもあるんですよ。要するに信者が5、6人の。拡大しようと思えばできるんですけど、大きくなると目をつけられちゃうから。やめてく人、あるいは死んじゃう人もいるから、いなくなればまた1人探して、つまり注目されない程度でやってるっていう人もいるんですよね。

中野　福岡の四人組看護師の連続保険金殺人事件とか、北九州監禁殺人事件とか、尼崎連続変死事件とか……マインド・コントロールがらみの事件ってありますよね。あれもミニカルトの一種ですかね。事件化すれば表沙汰になっちゃうけど、事件にならなければわからないでしょうね。

デーブ　だからけっこうそういうのってあるはずなんですよ。大きくすればいいとは限らない。あるいはジャニーズの性加害問題でも一部で取り上げられた「グルーミング」とかね。

中野　大人が、性的な目的で子供に近づいて手懐けちゃうというやつですね。

デーブ　そうなると「この人はいい人だ」「親切でやってくれてるんだ」ってなっちゃって、自分から告発したり拒否したりすることもなくなっちゃう。普通の大人は他人の子供と一緒にいるだけでも「なんで?」って思われるけど、ジャニー喜多川なんてホテルだろうが合宿所だろうが自宅だろうが一緒にいること自体、「不自然ではない」環境を作っていたわけだから、いくら疑惑があっても外からじゃわからない。

中野　しかもそういった環境を周囲も含めて作っていたということですもんね。

デーブ　だからテレビも旬の時はジャニーズ事務所もカルトも叩くけど、カルトの場合はね、叩かなくなったらまた見えないところで活動を続ける。そこが厄介。その繰り返しじゃしょうがないと思うんだけど。

中野　旬のネタだと言えるってのもなんなんでしょうね。それこそ「コンプライアンス的」なものが私たちを縛ってるってことですかね。

デーブ　うん。日本語便利だよね。

アメリカ人と宗教

中野　日本だと、たとえば高校生が学校で選挙の話なんかあんまりすることはないけれども、アメリカの高校生は割と学校で「おまえんち共和党なの、民主党なの」って話をするって聞いたんですけど。

デーブ　言う言う。言わないとすっごい生意気に思われる。「ごめん、政党どこに入れたとか言わない」って言ったら、もう最低。要するに「だらしない」とか「考えがない」とかそんな感じ。言わない人はいないんじゃないですか。

中野　そうなんだ。宗教も？

デーブ　隠さないですよね、民族も人種も言う。日本ってだいたいみんな一緒だから言わないですむというのはあると思うけど。

中野　聞いておかないとアメリカの場合は困ることもありますよね。

デーブ　習慣も違うしね、会話が変わる。価値観同じ人と話す時と違う人と話す時じゃ会話が変わるじゃない？　それこそ中絶問題とかね。価値観が違う人と付き合いたくないし。

中野　こちらが当たり前にしゃべっていることが相手を傷つけちゃったりしても困るから、聞いておかないとというのもあると思うんです。日本もそれはなくはないんだけど。

デーブ　だから宗教もふつうに言うよね。

中野　フランスに住んでいて思ったのは、けっこうユダヤ人とかイスラム教徒がいて、食べられないもの何？って聞かなきゃいけない。豚は頼めないとか、タコ・イカがダメとか、お酒はとかあるじゃないですか。ミルクと肉を一緒にしちゃダメとか。

デーブ　ある。厳しく守ってる人は守ってる。

中野　そういうのがあるから、あらかじめ知っておかないといけないところがある。だから聞くし、言うし。でも日本だとちょっとそれは聞きにくい。

デーブ　何かプライベートなことに踏み込んでるみたいになるね。

中野　聞いちゃいけないことだったかなとか、ある程度仲良くなってからじゃないと伝え合えないというのがありますよね。だから宗教って大事にしてる人は大事にしてるけど、日本ではなかなか話題になりにくい。

デーブ　ただ、日本だと何か問題になるとずっとテレビとかでやるけど、向こうだとサイエントロジーにジョン・トラボルタやトム・クルーズがいるとか話題にはなるけど、永遠にやってたりはしないですよね。ハービー・ハンコックが創価学会とか。

中野　なるほど。オーランド・ブルームとか。

デーブ　とかね。何人もいますけど、ただ、海外での創価学会、ＳＧＩは禅とかのイメージだよね。ミステリアスとか神秘的。わー仏教だ！っていう見られ方。日本の選挙の時のあの熱狂とか知らないですよ。

中野　日本とは違う。

デーブ　知らないもん。日本全国に創価学会の「文化会館」あるじゃないですか、すごい立派なビルが多いけど、そんなのもおそらく知らないですよ。仏教やそれに付随する哲学とかのいいイメージ。

中野　なるほど。ちょっと東洋思想のエッセンスみたいな。瞑想して自分を整えるみたいな感覚で捉えられるわけですよね。

デーブ　だから、もし日本の創価学会の集会見たら、引く人も多いと思うんですよ。アメリカだと普段着で集まりますけど、日本だとみんな白いシャツ着てまっすぐ座って、なんかマスゲームっぽいじゃないですか。

中野　ああそうか。

デーブ　僕も学生時代通ってた仏教会という、何かふつうの、ふつうって変ですけど、そういう仏教のお寺も幾らでもあるわけです。アメリカにも。でもそれとはちょっと違う宗派と思われてる程度で、やたらと平和とかそういうことを創価学会は言うから、そういうラブ&ピースな団体だと思って通ってる感じだと思うんですよね。

「メガチャーチ」に「Qアノン」

中野　コミットしやすいというか？

デーブ　そうね、ハードルが低いです。あとは政治との関わりで言うとむしろ今アメリカでは「メガチャーチ」が若者に広がってる。巨大教会。2000人以上の教団を言うんですけどね、全米に1600とかあるって言われてる。いちおうクリスチャンですよ。コンサートホールみたいなところで礼拝して、それを地元のテレビで生中継して。保守的な南部とかテキサスとかアリゾナとかもうすごいですよ。

中野　ざっくりと言えばプロテスタント系福音派。

デーブ　そう、その系統のペンテコステ派とかね。ドナルド・トランプ支持層に多いって言われてた。奇跡や予言を信じてたりする人もいる。うぶな人とか猜疑心ない人が信じるんですよね。疑わないから。

中野　「Qアノン」とかどうなんですか。日本でも今じゃ数千人いるとか言われてますけど。

デーブ　ああ、宗教じゃないけど、陰謀論集団。世界のトップには「ディープステート（闇の政府）」が存在してるとか言ってる人たち。

中野　ちょっと何か宗教に近いなと感じさせるところがあって。トランプ前大統領を救世主と考えているんですよね？

デーブ　トランプね。大統領就任式の宣誓の時、聖書じゃなくて自分の著書に手を置いて宣誓していいかって言ってたらしいよね。救世主なんてね。そんなこと言い出す時点でまずお医者さんに診てもらった方がいいんじゃない？　馬鹿につける薬はないけど、処方箋は出せるって言うでしょ。

中野　言いませんよ。いえ、日本で反ワクチン団体がワクチン接種会場に乱入して建造物侵入で逮捕されるって事件があったんですけど、それもQアノンから派生した団体ってことらしくて。

デーブ　ああ。

中野　2020年のアメリカ大統領選で「不正があった」って情報が拡散したのはアメリカ以外では日本くらいだったそうです。日本のインターネット圏に勢力を拡げてるって朝日新聞の報道があって、どうなんだろうなあと。

デーブ　関係ないけど、選挙って言えば、日本の選挙って日本の結婚に似てない？　結婚式までは盛り上がるけど、後は盛り下がっていくだけっていう。欧米は結婚式はあくまでもスタート、そこからどんどん良くなっていく。

中野　英語で言うポリティクスと日本語の政(まつりごと)って全然言葉の成り立ちが違うじゃないですか。ポリティクスって語源は古代ギリシャ語ですよね。「市民」って語が元になってるようですけど、日本は「お祭り」、政＝祭祀です。だからデーブさんが今おっしゃったことはまさに正鵠を射ていますよね。選挙も祭りでその時が一番盛り上がる。

デーブ　そうか。それなんとなくわかるね。日本の政治家、選挙がピークみたいな人いるもんね。違った。そういう話じゃなかった。そう、陰謀論信じてる人って、ものすごく薄弱な根拠で何か大きなことを決めつけるじゃない？　あれはひとつの思考停止だと思うけど。

中野　それは同感です。彼らの言い分を聞いていると、現代の、民主主義体制をとっている国であっても、神権政治に取って代わられる可能性ってそんなに荒唐無稽な話じゃないっていうか、神を中心とした政治体制ってまだまだ全然作られやすい気がしてしまうんですよね。全部論理や科学で作り上げるより、ずっと簡単に人をまとめられてしまうんじゃないかって。

デーブ　そうなったら独裁しやすいだろうし戦争しやすいだろうし、やっぱ人間はそんなにまだ頭よくない。

中野　自分で思考停止装置を作っておきながら、それに縛られている感じがちょっと嫌かなっていうのは思うんですね。

デーブ　宗教も陰謀論も自分で作ったのにね。

中野　そうそう。いろいろな情報伝達手段も便利のために作ったものですけど、だけどそれによってフェイクが流れていってしまったり、情報に踊らされたり、真実が見えなくなったりっていうこともあったりする。よかれと思って作ったもので自分の手を縛るっていうのが人間は不思議だなとは思います。

神様いっぱい

デーブ　日本は日本でアメリカみたいに中絶問題とかモラルの押しつけがないじゃない。とりわけ何か強く宗教を信じたりしてないからいいと思わない？

中野　信じてる人もいますけどね。

デーブ　いやそれはいますよ。芸能人にもいろいろいっぱいいるじゃないですか。信者が。でもテレビでそういうことは言わないよね。

中野　信教の自由はもちろんあるけど、公共の電波で布教活動してると見なされるとまずいってのはあるんでしょうね。

デーブ　逆に、貧乏エピソードをひたすら言う人いるでしょ。名前言わないけど。こんなに苦労したとか貧しかったとか病気したとか。それ聞かされてたいへんでしたねって思えばいいんだろうけど、まあ多い。そういうこと話すのは、「だけど今は信じてるこの宗教のおかげで助かってるんです」ってことなんだろうけど、それは言わないね。

中野　それは聞かない。

デーブ　外タレまで言ってるんだ、ガイジンの信者ね。信者同士ではたぶんそういうことと言い合ってるんだろうけど、外向けにそれは言わないです。だってそう、布教になるから。逆にそこまでしか言わないから僕なんかは面白くてしょうがないですよ。あ、また貧乏だった話してるなって。わかってる人はわかってるのに。でもその後離婚したり、病気したり、いろいろあってもまあ信じる人が救われると言うからね。

中野　そういう話でした？

デーブ　あ、いやいや日本は無宗教の国って言われるけど、神様はいっぱいいるじゃない？　1000とか2000じゃきかないでしょ。雷とかさ、落ちてきたら怖いから何千年前か何百年前か知らないけど怯えて「神の力だ」って信じて祀る。今なら気象予報士に聞けば説明つくのにと思うけど。

中野　電気の神様ってのもいたなあ。

デーブ　いろんな神様がいるよね。僕は宗教が全部悪いなんて思わないけど、例えば何々供養ってあるじゃない。鳥供養とか、あ、実験動物の供養とか。

中野　大学院の時ありましたねえ。実験動物の慰霊祭ってあるんです。

デーブ　申し訳ないとかお世話になったとか、あれはだからいいんですよ。やらないとクヨクヨするから。

中野　ん？　これはダジャレ？

デーブ　そういう生活習慣程度はいいと思うんです。よく言われるじゃないですか。日本は結婚式に神父さんや牧師さんが来てキリスト教で、七五三は神社で神道でやって、最後、死ぬ時はお寺ですからよくまとまってるなと。

中野　そうだ、法輪寺っていうところにエジソンが祀られてるんですよ。

デーブ　エジソンも神様なの？

中野　そう、電気の神様として祀られてる。エジソンとヘルツ。

デーブ　電波のヘルツ？

中野　はい。

デーブ　おかしいねそれ。お笑い芸人のエジソンとかさ、祀られてたら。

中野　ね、アインシュタインとか。

日常に残る宗教儀式？

デーブ　あと日本てさ、宗教儀式が日常生活にいっぱい残ってない？　学校で床を雑巾で拭くじゃない、子供が。あれとかお寺の修行？って思うよね。お笑い芸人がハリセンで叩くのとか、座禅から来てるよね。

中野　ああ。トイレ掃除を手でやるとかね。禅宗のお寺でやる修行ですけど、どんなにきれいになっててもまた手でやらせるって。

デーブ　うわ。そんなのあるの。朝礼とかさ、起立、礼、着席、とかさ。世界中の国でどこもやってないからねと思うよ。「サラリーマンの地獄特訓」とかっての僕も番組でどっか富士の麓で1週間泊まり込みでやらされたよ。

中野　いろいろなことやってますねえ。

デーブ　あと昔、テレビ東京で『ザ修行』という番組があって、大体想像できると思うんですけど、いろんな修行やるの。お寺が主催してる修行のコースやったんですよ、ガチで。全然やらせも何もなくて。滝に打たれたり。

中野　えっ、滝行やったんですか。

デーブ　崖からぶら下げられたり、あと座禅。それで精進料理食べる。何かこう地味な。

いちおう全部やったんです。ちゃんとお坊さんが指導して。僕には何の影響もなかったけどね。僕、清められてないし。

中野　けっこうたいへんそうですけどね。

デーブ　あとは日本にも神父さんとか牧師さん、いるじゃないですか。『オレたちひょうきん族』の懺悔の時ぐらいしか見ないけど。

中野　懐かしいな。

デーブ　僕も出た。1回やられた。

中野　いいな。

デーブ　日本での宗教経験はそれだけなんです。水かぶった。

中野　あれ、宗教じゃないです。

デーブ　目の前に神父さんがいて、ひざまずいて懺悔。初めて懺悔した。そしたらこう上から水かぶったんです。

中野　ほんといろんなことやってますね。

デーブ　いやだからね、日本でよく言う「苦は楽の種」ってのもさ、きっと仏教から来てる。アメリカ人だったら最初から楽にしたいから、苦はいらない。

中野　「先憂後楽」ですね。後楽園球場の「後楽」ってそういう意味なんですよ。

デーブ　あれ、ラーメン屋じゃないの、えなりかずきの。

中野　違います。それは「幸楽」。「為政者たるもの、人々よりも先に国を憂いて、人々が楽しんだ後で自身も楽しむべきだ」って意味だけど、でもまあ「まず我慢、楽しみは後で」ってのの「後楽」。後の楽しみ。

デーブ　なるほどね。そう言っとけばみんな我慢させられるもんね。社会のコントロール。

中野　そういう社会心理学的な効果は当然考えられていたはずですよね。庶民を働かせて思考停止させ、暴動を起こさせない。やっぱり一揆が怖いし、暴動そのものというより、あいつのところでは一揆起こさせちゃったね、コントロール能力ねえなって上からも周りからも思われるのが怖いっていうことはあったんじゃないですかね。当時はそうやってヒエラルキーを維持するために宗教が使われて、今はその機能だけが残ってるという見方もできます。

日本は無宗教か

デーブ　本題に戻すと、でも日本は、無宗教だからいいっていう評価あってもいいんじゃないですか。

中野　ただ、さっきも聞いてて思ったんですけど、「日本は無宗教」って言っちゃうとちょっと気になるところもあって。だって日本人、宗教的じゃないというわけでもないじゃないですか。むしろ日常生活の中に宗教的思考が息づいてますよ。

デーブ　うん、一般の生活にいっぱいある。まあ欧米も一緒なところあるよね。それこそクリスチャンだけども形だけっていう人は増えた。あくまでも生活習慣として十字架つけるとか、イースター、復活祭行くとかね。本当に信じてるわけがないじゃない、誰もが。だっていないもん。神がいるんだったらこんなめちゃくちゃな世の中じゃないでしょう？

中野　日本人は無宗教って言う時に、確かにキリスト教を信じてる人は少ない。1・6％とかなんですよね。韓国やフィリピンなんかと較べたら根づかなかった。イスラム教徒はもっと少ない。日本人の7割以上が「信仰や信心を持っていない」っていう調査もありますし、アメリカの調査でも日本の人口に占める「無宗教」の割合は世界でもかなり上位に位置します。だからってほんとに無宗教か？って言うとちょっと違和感がある。

デーブ　創価学会もあるし天理教もあるし真如苑もあれば立正佼成会もあるから？

中野　それもあるんですけど、日本人ってそもそも全員仏教徒と言えば言えるんですよ。江戸時代は「宗門人別改帳（しゅうもんにんべつあらためちょう）」っていうのを、今でいう戸籍なんですけど、お寺で管理してたから。「寺請（てらうけ）制度」っていうんですけど、全員、お寺の檀家にならなきゃいけなかった。お布施払わなきゃいけなくて、身分証もお寺が出した。

デーブ　それは国の組織として？

中野　そう、官僚組織と一体化したお寺が日本人を全部まとめてたわけですよ。

デーブ　教会みたいに行かなきゃならなかった？

中野　まあ毎週ってわけではないでしょうけど、「講」っていうのがあって、まあいわばミサみたいなものをやってたんです。それぞれの地域ごとに。寺を中心としたそういう共同体組織があったんです。子供の教育機関である寺子屋だって寺から始まってますしね。

デーブ　そもそもはってことね。

中野　そう。だけど明治維新でその共同体組織がだんだん機能しなくなって、さらに第二次世界大戦後にもっと壊滅的になっていったというのが私の理解です。だから、一見無宗教に見える日本で新宗教がわーっと出てきたってのは、そういう状況があったからだと思うんですけど、本当はすごいガチガチに宗教による人々の管理というのかな、はあったはずなんですよね。

デーブ　だから「村八分」みたいのがあった。

中野　そうともいえますかね、葬式なんかは面倒見てやるけど、ほかのことはおまえは蚊帳の外なっていうね。あと、仲間外れにする「ハブる」の語源もほんとかどうか、「八分」から来てるって説もあります。でも本来はそういうネットワークからおまえは外すぞっていうのがあるんですよ。

デーブ　ここにいたいんなら言うこと聞けってね。

中野　一方でそれは宗教によるセーフティネットでもあったんですよね。いざって時は助けるけどねっていう。そこが政治体制の変化や戦争で変質したのに、まだ新しい仕組みができあがりきってないというのが日本の変なところで、そこに新宗教が入ってくる隙間がいっぱいあったということなんじゃないか。

本当の幸せとは

デーブ　だけど宗教って、いちおう通わないといけないじゃないですか。週に1回とか、通わなくても毎日何回礼拝とか。キリスト教でもユダヤ教でもイスラム教でも参加しないといけない、物理的に。海外の宗教って束縛があるんですよ。でも日本はそれないじゃない。

中野　まあ、あるところもあるのかもしれないですけど、基本ないですね。

デーブ　そういう押しつけがないのがいいなと思って。

中野　ちなみにデーブさんは今、どこその教会に行きますとか届けみたいのは出したりするんですか。

デーブ　ない。もう全然興味ないからね。日本はそれが楽でいいですよ。

中野　ドイツには教会税があるって聞きましたよ。

デーブ　教会に所属してると税金取られるの？

中野　オーストラリアの知り合いがマックス・プランク研究所に赴任したんですよ。引っ越し後の生活はどう？って聞いたら、ドイツだと宗教によって税金取られるんだよって。僕はカトリックをやめましたって言ってた。カトリックでもプロテスタントでも教会に入ってると所得税の9%くらい追加で税金取られるんですって。

デーブ　日本はそういうのもないしさ、近所歩けばお地蔵様がいるじゃないですか。赤いセーターとか着ててかわいいよね。日本人、なんか像があるとかわいい服着せちゃうでしょ。神楽坂のコボちゃんとかさ、渋谷のハチ公はたすきしてるけどさ。森喜朗も銅像建てたら何か着せてあげたらいいよね。そういう生活習慣の中の宗教ってのはいいと思うんですよ。でも教祖崇めろとか先祖供養しろとか献金しろとか、さもなくば地獄堕ちるとかさ、そうなるとやばいじゃない。だからカルトのこととかもっとちゃんと知っておいてほしいんだよね。地獄ってどこ？　写真見せろよって思うよ。

中野　そう、存在は誰にも証明できないんですよ。

デーブ　存在しない。天国だってないじゃないですか。僕はそう思うよ。

中野　ない。少なくとも私にとっては現実しかない。私はポテトチップス食べてればけっこう幸せ。天国。

デーブ　そうでしょ。だから本当の幸せってなんだか知ってます？

中野　幸せは、それが手に入る直前が一番幸せ。

デーブ　ああ、なるほどね。でもみんな基準が違うじゃないですか。

中野　基準が違うけど、ドーパミンの出る量だと好きな人とお付き合いできるかもっていう、デートの前日が一番。

デーブ　ワクワクするのはそれですね、待ち合わせしてね。

中野　可能性の段階、現実になるまでがマックス。

デーブ　それもそうですけど、あのね、本当の幸せは、トウモロコシ食べてて、で、もうない！と思ったらあと1列残ってる。それ。

中野　すばらしいこと言いますね。ポテトチップスもうない！と思ったら1枚あったみたいな。

デーブ　マクドナルドのフライドポテトが袋の下にまだ1本あった。それと同じ。

中野　下に残ってるやつ、そうそう。あれ美味しい。あのカリカリのやつ。
　でもここけっこう面白いところで、偶像を想像できるのって人間だけなんですよね。だから神とかって人間しか想像できないんです。

デーブ　動物は神様崇めないもんね。

中野　天国とか地獄とか死後の世界とかも想像できない。でも人間はそういうものを、言葉が良くないですけど、「脅しのネタ」に使える。架空の権威を使って、生きてる現実の中ではすごく大事なはずのお金を差し出させることができるんですよね。そのスキームとしてすごいよくできてるのが宗教で、現実の行動を仮想のもので統制できる、コントロールできるっていうすごい仕組みなんですよね。これを政治が使わないわけない。便利だから。そもそも古来は神権政治が日本を含めて世界中どこの地域にも見られたわけだし。

デーブ　さっきトランプの話してた時、言ってたね。

中野　やっぱり神と政治って親和性が高いと思うんですよね。日本語の「政＝まつりごと」っていう言葉自体がもう既に祭政一致を示してるし、英国国教会の成立も国王が決めたもので、今もトップは国王ですよね。

デーブ　チャーチ・オブ・イングランドはそうね。

天皇と権威

デーブ　日本だと天皇イコール神道。ただ、第二次世界大戦で神道に利用されたのが良くなかった。だから日本は余計無宗教になったんじゃないかな。

中野　それは興味深い話題で、「天皇」っていう名称も独特ですよね。英語に訳す時はどっちもemperorになりますけど、でも皇帝と天皇って違うんですよね。

デーブ　ああ、中国やヨーロッパの皇帝。

中野　何が違うかっていうと、天皇はファミリーネームがないんです。

デーブ　そっかそっか。

中野　という興味深い考察を、生前、松本健一先生がお話ししていらして。ファミリーネームがないっていうのは東洋思想ではすごく大事な意味があって、姓は天が与えるものなんです。天皇は自分が天だっていうことをそれによって示しているので、そもそも姓があってはならない存在なんです。

デーブ　皇帝は先にユンケルつくしね。

中野　ええと、天皇制の初期の重要な機能は各地の豪族を束ねることだったわけですよね。その際に「姓(かばね)」っていう地位を表す称号を与えて統制したんです。「連(むらじ)」とか「臣(おみ)」も「姓」の一種です。「氏(うじ)」はその豪族のグループ名。今で言えば「姓」も「氏」もどちらも「苗字」ってことになりますけど、当時は違って、天皇は苗字を与えることで豪族を支配してたわけですよ。だから当然本人にファミリーネームないわけですよね。

デーブ　皇帝はみんなファミリーネームあるよ。

中野　そうなんですよ。その仕組みを整えた人が多分記紀の頃にいて、一次資料がないから誰も証明できないんですが、おそらくは藤原不比等辺りがやってるんじゃないかというのが先生の説ですね。そういうスキームを作って１０００年以上続いてるってことがすごいですよね。

デーブ　それはそう思うけど、アメリカの憲法上、人間は平等に生まれるんですよね。みんな同じ、同権。だけど日本の天皇はみんなと同じ権利を持ってるとは言えないから、微妙な気持ちになるよね。権力があるわけじゃないし、不自由だろうなって気持ちもあるから。だけど正直言って、亡くなっちゃったけどエリザベス女王とかイギリスの王族には本当の意味で何が違うの？って思うんですよ。アメリカ人としては。あとはタイとか悪口言うと逮捕されるでしょ？　馬鹿みたい。アホらしいじゃないですか。

中野　日本はさすがに逮捕はないですよね。

デーブ　日本って悪口言う必要もないじゃない。だって、ああしろこうしろ言わないから。贅沢にサントロペ行ったりしないし、全部ご静養。嫌味がないんですよ。

宗教の効用

中野　宗教に話を戻すと、ひとつこれが問題をややこしくしてるなっていうのがあって、病気の治癒過程における宗教のプラセボ効果。人から何か言葉をかけられるなどの働きかけで本当に病気がよくなったりすることがあるんですよね。

デーブ　いろんな宗教で、偶然に治る人っているんですよね。自然に。それを「神の力」ってうまく利用されちゃう。

中野　実際、免疫系の機能なんかに気分とか気持ちって意外に影響してるんですよ。言葉の選び方などがうまく、人の気持ちを盛り上げる能力のある宗教者と相性が合えば、本当に治っちゃうことがないわけじゃない。

デーブ　ほんとごくごく稀にね。

中野　そう、実際にはあんまり見ないことだけど、たとえサンプル数1であっても、そうしたケースがあれば大きく喧伝されもするし、思った以上に広まっていく。自分や自分の周りの人が困っている、ということがあれば、期待も込めて願いがかなったというその話を信じようと必死にもなるでしょう。話を繰り返し自分に言い聞かせているうちに、あたかも実際に見たような気にもなるでしょう。でも、例えばですよ？　大学に受かりたかったら、神社にお参りもいいけど、そんなことしてる暇あったら1問でも問題解けよって思うじゃないですか。

デーブ　でも宗教の人はそうじゃないよね。祈ってれば受かるって言う。そんなわけないのに。

中野　あり得ないでしょ。受かったらその親たちは何て言うかというと、お母さんとお父さんが祈ったからあなたは受かったんだとか言うわけ。

デーブ　言うだろうね（笑）。

中野　子供の努力とかもう無視なんですよ。その子がかわいそうで。神の力が大きくて、人の力というのを無にしちゃうというのはさすがに私は許容できないかな。

デーブ　そもそも原因と結果の結びつき方がおかしいよね。科学的じゃない。受からなかったら今度は信心が足りなかったからだ、もっと祈るべきだった、って言うよね。献金が少なかったとか。

中野　いやまさにそういうことで、宗教も最初は社会規範を人々に教えるために成り立ってたところもあると思うんですよ。嘘ついちゃいけないとか、人殺しちゃダメとか。共同体の中で円滑にやっていくための規範を身につけて、まあそれがその人の行動の指針になるなら宗教だってそんなに悪いものじゃないでしょう。神様を信じることでその人が美しく生きていけるっていうんならむしろいいことかもしれない。『レ・ミゼラブル』のジャン・バルジャンじゃないけど、悪人だったけど改心する人もいるのかもしれない。

でもそれがデーブさんが言うみたいに科学的でなかったり押しつけになったり、因果が転倒したりみたいになっちゃうと、「なんじゃそれは?」って思うんですよね。

デーブ だからそれがカルトの怖いとこだよね。今見ると科学的ではないにしても、いろんな昔の教えを食生活まで守ってる宗教もあるじゃない? きっとスタートした時点では合理的だったんだよね。断食とか「なんで?」と思うけど、それはなんか理由があったんだよね。豚はダメとか。

中野 わからないですけど、衛生状態とか保存法の未発達とかそういうことから「食べないでおこう」っていうのが規範化していったんでしょうかね。

デーブ そういうのはさ、わかるんですよ。宗教のスタート地点は。

中野 でも、もう時代が変わったから。国家や社会のいろいろな機能を担っていた宗教っていうものから、科学が分離し、教育が分離し、法律が分離し、とかってなると、何が残るんだと思います？

デーブ　なんだろ。宗教から「た」と「ぬ」と「き」を抜くと……？

中野　権威ですよきっと。

デーブ　うん、それはわかるな。

時間割引率

デーブ　さっき中野さん、ラーメン屋の話してたじゃない？　えなりかずきの。

中野　後楽ですね。「先憂後楽」。

デーブ　それそれ。だけどさ、なんで「天国に行くために」とかって言って生活削ってまで献金したりできちゃうんだと思う？　来世を期待したり、我慢したり。脳科学的に。

中野　うーん。ひとつは、「時間割引率」っていうのはありますよね。将来もらえる報酬と、それより少ないけど今もらえる報酬があるとしますよね。その時どのくらい割り引きかっていうその割合のことなんですけど、例えば、今だと1万円もらえるけど、1年後だと2万円もらえます、どっちにしますかって言ったとき、人によって判断が分かれるじゃないですか。あ、じゃあ1万円もらおうなのか、2万円なら待つかって。これが例えば1年後だと10万円もらえますだとまた割合が変わってきますよね。待つ人が増えるかもしれない。

デーブ　１００万円なら待つかな。

中野　とかね。個人差があるわけですよ。時間割引率の高い人、つまりいっぱい割り引いちゃう人は目先の利益に弱いでしょうし、時間割引率の低い人は報酬を先送りできる。一般的には、時間割引率の低い人、我慢できる人の方が学校の成績がよかったりするんですけど、宗教の場合、報酬は天国、死んだ後なわけですよね。

デーブ　そうだね。

中野　だからこの時間割引率の低い人、自分に対する報酬を無限に先延ばしできる人が宗教にはまっちゃうんでしょうね。今がんばって献金しておけば、天国に行けるはずって。

デーブ　ああ。

中野　これって遺伝的にある程度決まってると言われてるんですけど、でももし本当に先送りした方がお得なら、しかもそれが遺伝的に決まってるとしたら、今の世の中「天国に行けるはず」って人たちが１００％になっててもおかしくないんですよ。本当に得ならね。

デーブ　進化論的にはそうなるはずだよね。だって、その人たちみんな得してたら子孫を増やしてるし、そうでない人たちは滅んでるだろうし。

中野　でも、実際はそうなってない。むしろ、「今の得を取れる人」の方が多いんですよ。ということは、先送りする人たちに何らかのデメリットがあるはずで、それが搾取されやすいっていう問題なんですよ。

デーブ　そうか。そこが宗教のやばいところなんだ。

中野　先送りしてる間にその分取られちゃうの、ほかの人に。今食えるものは今食わないと。ラテン語で言うカルペ・ディエムですよ。

デーブ　カルペ・ディエム大好き。あれ、いい映画だったね。

中野　違いますよ（笑）。映画もあるけどそういうことじゃなくて。

デーブ　よく色紙に書いてたもん。

中野　そうなんですか？　でも、いい言葉、本当にいい言葉。今食えるものは今食え。

デーブ　今生きろとかね、そうそう［carpe diem 古代ローマの詩人ホラティウスの詩に登場する句。英語では seize the day と訳される］。でも何で逆にそんな先送りする人が今も生き残ってるんですかね。

中野　日本みたいに政権交代もあんまりない、約束が果たされるような安定した社会ではそういうタイプが得するからですかね。安定的で流動性が低い環境ではそっちの方が増えやすいっていうのはあるんですよ。しかも、その人たち成績がいいの。

デーブ　オウムもそうだ、オウム。

中野　そう。東大にやたら勧誘に来てましたよ。

デーブ　だからマインド・コントロール引っかかりやすい。

中野　そう、今を捨てて努力を厭わないタイプ。みんな努力ができる、だから宗教とか原理研とかはまりやすい。私は努力のきらいなズボラタイプだったから（笑）。

なぜ脱会できないか

デーブ　そういうところは勧誘するとき寝不足にして訳わからなくしちゃうんだよね。あと女の人、美人使うんだ。ほとんどの場合何もさせないけど、男って馬鹿だから５％でもチャンスあったら「もう1回だけ」って行くわけですよ。気がついたらもう抜けられなくなってる。最初はふつうのボランティアサークルみたいにしてたりするしね。

脱会すればいいのにって思うけど、霊感商法と似てるのは、恥ずかしいっていうのがあるんです。つまり、自分が騙されたと認めないといけない。それ、恥ずかしいじゃない。自分は馬鹿だったたって言えるならいいんだけど、なかなか抜けられない。

中野　認知的不協和ですね。「やっていること（入会している）」と「思っていること（やめたい）」が一致しないとき、人間は多くの場合「思っていること」の方を変えてしまうんです。その方が簡単で楽だから。つまり、自分はやめたくなんてないんだ、入ってよかったんだ、と思い込もうとする。

デーブ　通信販売返せない人もそうなの。買って馬鹿みても返せない。面白いことにラジオの通販って、返品がほとんどないって聞いたんですよ。テレビだと思ってたものと違うって返すんだけどラジオだと返せない。いい商売だよね。真珠とか売ってんですよ？

中野　ジャパネットたかたの人がダイヤモンドですごい売上を上げたっていうのもラジオショッピングでしたよね。

デーブ　でも、買い物ってまだものが来るからいいけど、宗教でお布施してもねえ。どんな御利益があるのか、僕はそれこそ時間割引率が高いから来世とかどうでもいい。

でもどうなんだろう、中野さんは人の頭よくわかってるでしょ。何で人って無駄に信じるんだろうと呆れる時ないですか。しかも自分からマインド・コントロールされておいて。

中野　呆れるけど、人間はそんなに頭が良くないとは思ってますよ。

デーブ　そうか。

中野　いっぱい計算してようやくわかることっていうのはみんな嫌うんですよ。私とかデーブさんはそういうの好きだけど。たいていの人は、いっぱい計算するところはショートカットしたい。神様がいることにしちゃった方が楽だってことなんじゃないでしょうか。神様のせいにして思考停止しても世の中が回るのでめでたしめでたしだったんでしょうね昔は。

今は時代が進んでテクノロジーが発達していることもあって、考える余裕がけっこう出てきましたよね。すると、ああ、神様いなくても案外、国も社会も回るね、やっぱり神様いないよねっていうことに多くの人がなってきて、でも人間らしい不合理な感情とか、テクノロジーの追いついてないところでまだ上手く回ってないところがあるから、ちょっとギクシャクしてる。みんながみんな計算できるわけじゃないから。

デーブ　今だとＡＩとかああいうものが神みたいなもんになってんじゃないですか。

中野　本当そう。一番は仮想通貨です。
デーブ　ああ。
中野　技術が神みたいなものになってて、仮想通貨だって言うとちゃんとブロックチェーンのことを調べもせずに投資する人がいるの。
デーブ　いるいる、そうそう。
中野　ブロックチェーンをちゃんと理解してれば、これブロックチェーンじゃねえじゃんっていうのが判断できるはずで、仮想通貨の体をとった怪しげな投資話にお金なんか出さないんだけど、でもみんながみんな考えるのが苦にならないわけじゃないからブロックチェーンってだけで買っちゃう。
デーブ　確かにそうだよね。今度は技術って言うと思考停止してる。
中野　思考停止スキームとしての神っていうのがあって、今はそれがテクノロジーになってきてる。ＡＩとかＷｅｂ３とか。
デーブ　メタバース。
中野　よく考えずに投資する人、けっこういますよね……。

テクノロジーが神になった時代

デーブ　雷が神様だった時代から、ブロックチェーンが神になっただけか。何で疑わないのかな。僕なんかずっと何から何まで疑う。メス入れる、突っ込む。そのためには情報が必要だから徹底的に調べる。人見たら泥棒と思えって誰が言い出したかわかんないけど、最初に言った人は偉いなと思う。そのとおりですよね。

中野　ＦＢＩが「仮想通貨の女王」を指名手配したっていうニュースあったじゃないですか。ルジャ・イグナトバっていう、ＩＱ２００あると言われてて、オックスフォード大学卒でマッキンゼーでのキャリアがあって、学位をいくつも持ってるという触れ込みで。そんな人が「私が考えた仮想通貨です」って仮想通貨企業「ワンコイン」を立ち上げて、それが「ビットコインキラー」っていう異名を取ってすごく話題になって投資がすごいことになって。ところが突然姿を消したの。

デーブ　ＩＱ２００じゃ僕と同じだ。

中野　フタを開けたらブロックチェーンでもなんでもなくて、ただのマルチ商法だった。被害総額は40億ドルだそうですよ。まあブロックチェーンというより、それを理解できない人が「ＩＱ２００」「オックスフォード」「マッキンゼー」「複数の学位」というキーワードで思考停止させられてしまったという形ですけど。

デーブ　仕組みとしては宗教と変わんないか。

中野　すっごいシンプルで上手いと思いました。やらないけど。やらないけど、すごい。

デーブ　中野さんできるんじゃない。

中野　いやいや、やりませんよ。やらないけどすごいなあと。

デーブ　僕もドコモのdカード、あれよく出すけどどうなってるかさっぱりわかんないのと同じだよね。

中野　そうですか？

デーブ　どうやって得するかわかんない。でも、嬉しいんだよね、出す時。持ってるぞって。いまだに何もつかないけどね、ポイントとか割引が。わかんないだけだけど。何のために出してるのかもわかんない。

中野　こういう集金スキームに騙されたくないよねっていうのはあるけど、逆にやる側の気持ちになってみると、何でやるんだろう。

デーブ　カモはね、幾らでもいるんですよ。毎分カモが生まれるということわざがあるんですよ、1分ごとに騙されやすい人、つまりカモが生まれるってよく言うんですよ。

僕なんかはだから疑う。ラスベガスとかね、バカラ、ポーカー、スロット、いろいろありますけど昔から言われるのは、「ラスベガスの賑やかなネオンと豪華なロビーと大理石はおまえが損してるからできてる」って。だから考えろよって、損する方が多いんだぞって。

金に対する信仰が詐欺被害を生む

中野 あとは、宗教をもっと拡大解釈してよければ、今はお金に対する信仰みたいのが強くなりましたよね。「これすると儲かる」とかお金をちらつかされると思考停止する。結果、詐欺スキームにひっかかりやすい。

デーブ 若い人に今、ものすごく詐欺被害や投資トラブル多いですよね。自殺者まで出たりして。

中野 痛ましいですよ。でも、誰かが儲けてるってことはどこかからお金を引っ張ってるわけだから。それが自分からかもしれないっていう想像は巡らせてほしいですよね。

デーブ トレーダーが儲けてるなら、自分で自分のお金を増やすでしょう。リスク取ってわざわざ人のお金預かるとかしないですよ。お金出させておいて毎月いくら儲かりますからとかそういうパターンの詐欺多いけど。競馬だって毎回当たるなら予想屋さんはもうとっくに大儲けして引退してるでしょ。

中野　そうですよね。他人のお金を預かって報酬を得るのは金融庁に業者として登録してない限り出資法違反ですしね。

デーブ　まして素人がそんな濡れ手で粟なんてできるわけないじゃないですか。だったらみんなやってるよ。エルメスのバッグとかもね。投資商品になっちゃってる。何千万もする。

中野　本当に高いやつはね。

デーブ　エルメスパトロールっているでしょ。エルパト。あれ最高だよね。

中野　しまむらパトロールみたいなやつ。

デーブ　ネットでいろいろ調べられるから、あの人のバッグ偽物とか、最高ですよ。

中野　怖いですよねえ。なんというか今はもう、お金教。

デーブ　お金だって本当は実体がないのにね。日本銀行って書いてあるだけで。

中野　単に紙だし。今や電子でやりとりされて紙ですらない。そういう仮想のものに私たち踊らされてる感はしますね。

デーブ　そうなんだよね。小判とかなんかものだったらまだね。
中野　貝殻とかね、偽造不可能だし。
デーブ　人間騙しやすいし騙されやすいんだよ。
中野　騙されやすい。私今、仮想のものの価値っていうのはすごい関心を持っているんですけど。
デーブ　例えばなんだろう。
中野　アートとかもそうなんですけど、人間は仮想のものの価値を実際のものの価値よりも高く見積もるんですよ。
デーブ　そうなんだ。
中野　神とか愛とか平和とか、そういうものを高く見積もるんです。食えないものだし実際に存在はしないんだけど。でも何か実際のものを犠牲にしてそれを取ろうとするっていうのは面白いと思う。幸せとかだって全然実体ない。
デーブ　ないよね。だから言ったじゃない、トウモロコシの最後の1列。
中野　そう、目の前のポテトチップス、カルペ・ディエム。それを先送り先送りするところで誰かの搾取が発生してるんだなと思って。ダイエットだってそうじゃないですか。

目の前のポテトチップスを食べればいいんだけど、それを我慢することで痩せてモテるとかそういうことを期待する。でもそんなのわかんないじゃないですか。痩せたからモテるかわかんないし、モテたからっていいことあるかどうかわかんないのに。

デーブ　モテたい独身の女の子ってわかるよね。見てるとだいたい髪染めてるじゃないですか。でもサボると頭のてっぺん元に戻ってプリン状態になる。あれサボってない人がまだちゃんと相手を探してる人だよね。

中野　そうかなあ。

デーブ　プリンの人はもう諦めてる、どうでもよくなった、面倒くさいって。

中野　あるいはもういい人見つけたか？

デーブ　そうそう、釣った魚に餌やる必要ない。

中野　確かに。正しい（笑）。

最期はどうする

デーブ　もう一回話題戻るとね、日本は基本的に無宗教じゃないですか。でも、人亡くなった時のお寺、あれすごくいいですよね。

中野　というと？

デーブ　もう何回も行ってるんだけどねお葬式。木魚だっけコンコンって叩いて、僕、いろんなのの順番よくわかんないけどあれ、一種のジャムセッションだよね。

中野　お葬式は外から見ると、お祭り的な要素があるように映るところもあるかもしれませんね。

デーブ　豪華なお葬式になるとメインのお坊さんにお付きのお坊さんたちがついてきてさ、衣装も派手だしバンドマンみたい。ステージですよ。

中野　山梨で夫のおじいさんが１０２歳で大往生したんです。甲府一高っていう高校があって、その先生だった方で。

デーブ　名門校だ。

中野　教え子にお坊さんが一人いらして、その人がお葬式をやってくださったんですけど、もうほぼ同窓会。先生の思い出はああでこうでとかって、すごくあたたかみのある式で。でも多分それが本来の送る形なのかもしれないと思った。お葬式も宗教っていうより村の共同体の催しというか。非常にいいなと思ったんですよ。

デーブ　ああ、いいねそれ。宗教は生活習慣を司るってことでいいんじゃないかな。お葬式とか、クリスマスとか。でも布施とか戒名とかはいらないけどね。なくても何の影響もないよ。僕はいらない。全部カタカナになっちゃうから。

中野　漢字のつけられちゃうんじゃない？

デーブ　芸能界の人の、けっこう大物のお葬式も行ってるんですよ。だいたい青山霊園だよね。向かい側に銀座ウエスト青山ガーデンっていう美味しいカフェがあってさ。行きたくてしょうがないけど、みんな見てるから行けないんですよ。目の前にあるのにあれつらいですよ。

中野　葬式がない時に行ったらいいじゃないですか。

デーブ　渡れないしさあそこ。それかタクシー乗ってぐるっと回るか。トンネル作ってほしい。

中野　確かに渡りにくい。回り道して横断歩道か何かから行かないと。

デーブ　昔、ハナ肇さんのお葬式でお焼香する列にいたら後ろに布施明さんが並んでて、布施さん、「僕よくわかんないからデーブの後ろに並ぼ」って言うんだよね。こっちの台詞なんだけどさ、洒落たこと言うなと思って。

中野　それ面白い。

デーブ　オスマン・サンコンもお焼香の仕方よくわからなくて、七味と思って全部食べたって。ネタだけどさ。

中野　海外のお葬式も意外な明るさがあることがありますよね。なかなか会えない人に会えたり……。

デーブ　アメリカではさ、「死ぬ時、どうそうかな」ってみんな言うんだよね。

中野　土葬かな火葬かなってこと？　そんなギャグ初めて聞きました。あ、でも私はお墓いらないな。散骨してほしいな。

デーブ　どこに。

中野　羽田沖。私は東京の人間なので。生まれたのは品川区だし。

デーブ　5年前、うちの母が亡くなった時、フロリダの海で散骨した。

中野　ああ、いいなあ。

デーブ　専門の人いるのね、マッチョマンが海に撒いてくれた。きれいだったしお金かかんないし。

中野　羽田にもいるの、やってくれる人が。羽田はフロリダみたいにきれいではないかもしれないけど、でも東京の海で自分だったものが循環していくっていうのはなんかいいなと思って。

デーブ　僕はやっぱり石原軍団みたいに毎年毎年来てほしいよ。って誰が来るんだ。

中野　え、私は行きますよ。

デーブ　こういう人いた。でも宗教信じないって言ってたじゃない。

中野　お墓はいいかなと思って。

デーブ　横浜の外国人墓地かな。ぼちぼちでんなあと。

中野　もう、ちゃんと約束。何か供えてほしい花とかあれば聞いときます。

デーブ　ポテトチップス。

中野　ポテトチップスでいいの。わかった。

第四章　ニッポンの分岐点

どこまで崩れて大丈夫？

デーブ　僕、思うんですけど、日本はオートパイロット状態でずっとやってこられたじゃないですか。日本ってすごいですよ。自民党どうのこうの言われるけど、短い間、民主党政権になったりしたけど、安定してるじゃないですか、よくも悪くも。ときめきも何もないけど、あれ、やっぱりどこかで評価してあげた方がいいんじゃないかなと思うんですよね。アメリカみたいに全部、大統領選でひっくり返るようなことないじゃないですか。明日から中絶禁止ですみたいなの。

中野　そういうのはないなあ。

デーブ　決まったルートがあって、脱線するものはあんまり歓迎されないってやってこられた。でも心配なんですよね。日本のそういうのが、全部ぽしゃるんじゃないかって。

幼稚園児がイエローハットかぶって行列作って歩くってところから始まって、ランドセル買って、成人式して、結婚式場選んで、会社入ってサラリーマンして、カトちゃんのエンディングノートまで、もう何でも決まってたじゃないですか。ルートが。そういう社会構造だったからコンプライアンスなんてなくたって成り立ってた。違います？

中野　それが有効だったのって、でもね、２０００年頃までだと思います。

デーブ　２０００年頃までか、そうか。

中野　何でかって言うと、終身雇用がまだ機能していた時代で、それだとみんなのレールに従って生きてく人が本当にエリートになった時代だったんですよね。それが変わったのが２０００年頃、小泉政権の頃なんですよ。

デーブ　非正規だね。

中野　そうそう、非正規雇用が増えて、そのレールの軌道が変わってきちゃったなって時代なんですよ。そうすると、みんな一緒でも得しないなっていうのがだんだん若い世代もわかってきて、みんな一緒じゃないことを模索し始めたのが２０００年代にあったと思うんですね。共通の文化に対してなんとなく不信感が大きくなってきたのがそれぐらいの頃からっていう印象があります。

デーブ　SMAPの「世界に一つだけの花」ってその頃か［2002年］。

中野　そうそう爆発的ヒットになって。あと2ちゃんねるがすごい流行った。

デーブ　結論から言うと、日本をダメにしたのは小泉さんとスティーブ・ジョブズか。

中野　けっきょくそこになるんだ。

デーブ　だから僕が心配してるのは、日本って、規律とかルールとかでうまくやってきたじゃないですか、サラリーマンもそうじゃないですか。朝会社行ったら朝礼とか、すごかったじゃないですか。

中野　そうですね、だんだん崩れてますね。

デーブ　どこまで崩れて大丈夫かって、余計な心配ですけど、本気で心配しますね。サラリーマンが前は人事異動とかね、行きたくない部署に行かされて、でも文句言わない、我慢する。それがふつうだったじゃないですか。文句言わない人の方が出世するし、我慢してればいずれご褒美が待ってるって。そういうのが崩れちゃったんでしょうね。

中野　ただ、崩れてはいるんだけど、ひとたび地震が来たとか、感染症が来たとかなると、みんなけっこう我慢して、周りの出方を見るじゃないですか。

デーブ　元に戻るか。

中野　そう、監視し合うっていう目線が強い限り、なかなかはみ出たことはしにくくなるんじゃないかと思います。コンプラがさかんに言われるようになったのって、東日本大震災からですよね。あれ以降、何かふざけたことができなくなった。

デーブ　なるほどね、あの時企業のコマーシャルもなくなったしね。

中野　何かちょっとあれから、被災者の気持ちになってみろみたいなのが増えた気がします。

デーブ　はしゃいでるのがダメとか、明るいのダメだとか。

日本式は終わるか

デーブ　前にアメリカの労働組合の話したじゃないですか。日本は逆にプロが少ないですよね。弁護士、司法書士、行政書士、公認会計士、そういう「士業」の人たちいるけど少ない。日本人の87％が会社員っていう統計もあるくらい、サラリーマンが多い。しかも日本だけですよ、一般募集って。専門知識なくても大企業就職する。

中野　どんなに専門性が高くても博士号でお金を多くもらえるということもないんですよね。逆にそういう専門性の高い人材はいりませんというわけです。

デーブ　かえって邪魔だからね。

中野　組織の運営を考えると、邪魔なんですよね。修士卒で充分だと。

デーブ　むしろ迷惑なんです、知り過ぎてしまって。

中野　何なら、オレたち上の立場を危うくする危ないやつって思ってるフシがある。大学でも文系って教授たちに博士号を持ってる人が少ないので、扱いに困るから学生にぜんぜん博士号を与えなかったという噂もあったくらいなんですよ。アカデミックですらそうなので、企業だって同じですよね。オレたちが持ってない博士号持ってるやつなんか迷惑くらいに思ってるのかもしれない。

デーブ　日本の企業って必要もなく人を雇うじゃないですか。新卒、必要ないじゃない。なにも能力ないんだから。アメリカは新卒雇わないし、いらないよ新卒なんて。でも日本は毎年、武道館とかでずら〜っと新入社員並べて入社式とかやってね。コロナでだいぶなくなったけど、あれっていつまでやれるのかなって思う。

中野　そう、だから真っ新な新卒というのが欲しいんですよ。プロは「余計なこと」をするかもしれない。頭を空っぽにして、指示通り体動かせる人が欲しい。部品が欲しいってことなんじゃないですか。

デーブ　そうだね、粘土細工みたいなね。そうそう。

中野　ちょっとあれ、処女信仰に近いですよね。ほかの男のお手つきはいりませんみたいな。

デーブ　芸能界、エンターテインメントも日本はそうですよね。素人文化。海外だとほとんどないでしょ。悪い意味ばっかりじゃないんですけど、素人が好きなんですよね。下手とかそういう意味というよりは……。

中野　初々しさ？

デーブ　初々しさ、あるいは未熟。最初のうちはド素人でも、いつの間にか上手になっていくプロセスを楽しむ。ジャニーズでもおニャン子でもＡＫＢでもそうだし、地下アイドルだってそうじゃないですか。松田聖子なんて洗練された大物歌手になったし、日本人は成長していくのを見てるのが好きなんですよ。

中野　アメリカは違う感じですもんね。

デーブ　アメリカはプロフェッショナルじゃない人をあんまり好まない。どこかで経験積んできてくれっていう。三大ネットワークで「新人アナウンサー」なんて一人もいないもん。

中野　どこか地方の局で修業してから。

デーブ　そうそうそう。エンタメ界にも新卒文化がない。

中野　そういう処女信仰みたいなね、若くて何も知らない子を俺が育ててやった！みたいなことがエンタメとして成立するというのは、日本独特なんですかね。

デーブ　普通そこまでニーズないんですよ。アイドルはいますよ？　いろんな国に。でも日本は世界一じゃないかな。

中野　日本の場合、歌舞伎からそういう感じだったのかもしれないですよね。幼い頃から舞台に立って、成長するに従って大きな名前を襲名していって。

デーブ　話を戻せば、それで2〜3年とかその部署にいて異動、役人もそうですよね。浅く広くいろんなことを学ぶんだけど専門家、プロにはならない。ひとつには汚職を防ぐためでもあるんですよね。長くいると取引先や業者となあなあになっちゃうから。その防止の意味でもあるんでしょうけど。

中野　テレビ局でも突然そういうことありますよね。

デーブ　制作現場にいたこの人がいきなり営業に行ってどうするんだよ？とか思うよね。馬鹿じゃないのかなと思うけど、接待来てくれたら盛り上がるとか思ってるのかな。

中野　まあ日本の場合、経営陣もいわゆる経営のプロというわけじゃないから。下から上がっていって経営陣に入るから、えらくなる人はいろんな部署見させられるみたいなところはあるみたいですけどね。

社員にお金をかけない日本

デーブ　だから日本はプロ育てないの？　一般企業は。
中野　プロ育てない、プロいらないの。私、統計見たな、日本の企業が従業員の教育にかけるお金の割合というのが、先進諸国で最低だったんですよね。厚生労働省が2018年に出した「労働経済の分析」っていう白書か。日本って突出して低いんですよ。
デーブ　だろうね、そういう印象。
中野　アメリカの20分の1、ヨーロッパの10分の1。プロ作らない制度だから、やっぱり従業員にお金使わない。
デーブ　そんなに。
中野　それで慌ててかわからないけど、岸田内閣になって去年か、「未来人材ビジョン」と銘打って「企業も社員教育に力を入れましょう」とか言い出したんですよね。それっておそらくデンマークとかイギリスとかが「社員教育に力を入れなさい」ってやって成功したからなんでしょうけど、デーブさん仰ってたみたいに、日本と欧米の働き方って違うじゃないですか。向こうは雇用の仕方が「サラリーマン」みたいなふわっとした形じゃない。

デーブ　日本のサラリーマンってよくみんな茶化したりするけど、ある意味では自慢してもいい文化ですよ。だってアバウトで、あれひとつの文化じゃないですか。ほかの国ないですよ、アジアにはあるかもしれないけど。

中野　でも若い人だと転職も増えてるし、特に人事や経理は専門性が高いからか転職も多いですよね。日本式の終身雇用続けるのか、欧米みたいに流動的になっていくのか、その過渡期ですよね。

デーブ　成果主義とかになっていくんですかね。非常に冷たい雇用現場になりそう。

中野　なりそうだけど、でもこの成果主義って、けっこうトリッキーなところがあるなと思ってて、成果ってそんなに測れます？

デーブ　売上とかだけですよね。

中野　うん、測れないですよね。成果を測るのって難しいので、その代わりに使われるのはレピュテーションなんですよね。

デーブ　そうだね、評価っていうか、評判。

中野　そう、となるとけっきょく、やっぱり接待がうまいやつとか、人間関係を作るのがうまいやつということになるかなって思うんですよね。学歴が否定された結果、そっちがメインになってくる、取引先の誰それと親戚とか。成果主義、実力主義と言われるけど、アメリカだってもう、ネームドロッピング、ネットワーキング王国じゃないですか？

デーブ　だったら大学で勉強するよりもカラオケのレッスンプロ雇って、玉置浩二とか歌えるようにしたほうがいいですよ。

中野　今冗談で言ってると思いますけど、でも本当にそういうことだと思う。

サラリーマンの未来

デーブ　そうすると、あの人呼べば盛り上がるぞって人が評価されるの。現金じゃんけんできるやつとか。あと仕切れるやつね、忘年会とか。

中野　私がもし社交性があったら、そういうとこでまず経理と仲良くなる。

デーブ　僕だったら人事課。みんなの秘密知ってるから。人事課出世するってよく言われるよね。

中野　人事と経理。その辺と仲良くなる。でもよくそこまで知ってますね、日本の会社。

デーブ　面白いじゃないですか、サラリーマン。

中野　すごいなと思って。ほんとに何か特殊工作員かもと思う。

デーブ　何かの部品作ってるとか、一般に知られてないものすごく地味な会社でも、大手や有名な会社と並んでもプライドは変わらないじゃないですか、サラリーマン。スーツの襟に社章？してるじゃないですか、会社のマークの。名刺とかも派手じゃないけども、出す時のあのなんというかな、誇らしさ、これ素晴らしいと思う。

中野　所属しているということがなんだか日本ではすごく大事ですよね。

デーブ　そうそう、所属好きなんですよね。どこか所属してないとダメ。だからテレビのADだって所属してるじゃない、制作会社。そんなの日本だけですよ。

中野　本当ですよね。日本だとプロフェッショナルとして個人で仕事してるわけじゃないから、どこか所属しないとやっていけない。

デーブ　そうなんですそうなんです。すべての分野がそうじゃないですか。

中野　何かちょっと「家」感があるんですよ、会社に。血縁関係はないんだけど、ゲマインシャフト的共同体感と言えばいいのかな。あるいは昔の大名家みたいな。伊達家中の者でござると名乗れるとうれしいみたいな。

デーブ　よく日本の企業は父親的だって言いますよね。つまり慰安旅行したりとか、結婚する時とか身内が亡くなった時にお金くれたりするじゃないですか。

中野　ご祝儀とかね、お香典とか、お花出してくれたりとか。

デーブ　そうそう、それと通勤定期くれるとか。会社にどうやって来ようと知ったことじゃないのに。

中野　企業のそういう部分が社会のセーフティネットみたいに働いてきていたところがあって、そこを基準にしてるからみんな悪さもできないし、そこがコンプライアンス以前の倫理を支えるものになってたところはあると思うんですよね。

デーブ　もう見事にコンプライアンスですよね。

中野　そこがだんだんなくなってきた感は確かにあります。

デーブ　なくなってきた。前は脱サラっていう言葉があったんですよ、脱サラリーマン。知人が何人かアメリカに住んでて、どうしたんですかって聞くと「いや、会社いたけども脱サラして辞めちゃって」って。

中野　今は聞かないですよね。転職するか、ＦＩＲＥするか。

デーブ　今会社辞めるの恥ずかしくないですもん。前は定年前に会社辞めただけでご近所から「ちょっと、あの方、どうされたのかしら」。ひそひそ。

中野　いろいろ変わっている時期ですよね。かといって日本的な終身雇用も、今さら元に戻れるか。

デーブ　多分無理でしょうね。

中野　企業の体力がもうそんなにないし、終身雇用があると何が一番困っちゃうかというと、人口ピラミッドが下に向かって細っていくので、維持するためには若い人は馬車馬のように働かないとダメですよね。でもそんな働き方できないので3年どころか3日で離職しますよね。企業体が成立しなくなるので元に戻りようがない。じゃあ日本人としての共通の認知基盤というのが、何によって保持されるかというともう同じ言語を使ってるというぐらいしかなくなるかもしれないですよね。

デーブ　日本語ね。

中野　すでにその共通基盤も違ってきちゃってるから、人によって言葉の受け取り方もさまざまになってますし、断絶の時代というのが来るんだろうなとは思います。そういう意味では、その断絶の時代を面白いと思えるか、自分と違うものをいいと思えるかというのが勝負なのかなと。相手が自分と違った時に喧嘩しちゃう人と、違うということを使って儲けましょう、得しましょうという人と、その勝負になってくるんじゃないですかね。

少子化のままでいいのか

デーブ　中野さんが言ってたみたいに、こうやって日本社会が変化を余儀なくされていくのも、少子化が大きいと思うんですよ。僕は日本のよさをよく知ってるし、残して欲しいと思うけど、維持するには労働力も足りてない。

中野　何を残して欲しいんですか。

デーブ　アンナミラーズかな。

中野　アンナミラーズもうないですよ。

デーブ　甘栗の屋台とか新幹線のワゴン販売とか……いやそれはいいんですけど、日本てリダンダンシー、何だっけ。

中野　冗長性？

デーブ　そう、冗長というか重複するっていうか余ってたじゃないですか人が。日本は。例えば本屋さんって、紀伊國屋とか行くと、2人で接客してくれた。2人必要ないでしょと思うけど、あれ最高ですよ。外国人には不思議に見えるんだけど、2人でレジとカバー掛けやってくれた。

中野　元々日本の本って表紙があるのにカバーがついてて、帯がついてて、その上に書店でブックカバーつけてくれるのは確かに不思議ですよね。洋書ってカバーついてないのも多いですもんね。

デーブ　あの流れ作業、最高ですよね。見事。

中野　ですよね。

デーブ　でもそういうのができなくなるね。人少なすぎて。

中野　コンビニもセルフレジ増えましたしね。あれも人手不足対策ですって。求人しても来ない。教育コストもかかる。だからどんどんワンオペでできるようにって導入されて、時期がコロナに重なってたけど、実は客の利便性云々よりオペレーションの問題だそうです。

デーブ　これまでサービス過剰だった面は確かにありますよ？　でも日本のサービスすばらしいじゃない。日本に来てびっくりしたり感激したりする外国人、いっぱいいますよ。でもそういうのも人間に支えられてたわけだから、人が少なくなったらできなくなっちゃう。

中野　電車はすごい面白くて、日本の電車は1分以上の遅れが「遅延」なんですけど、フランスのTGVとかユーロスターは15分なんですよ。

デーブ　基準が？

中野　基準が。日本人が「15分未満だから遅延じゃありません」って言われたら啞然とすると思うんですよ。その逆ですよね。

デーブ　それまだいいですよ。アメリカの電車、1時間遅れたとかふつうだからね。

日本のテロップの過剰さ

デーブ　昔、六本木WAVEってCD屋さんが人気だったけど、やたらと名刺くらいの大きさの札にさ、お薦めの文章書いてあっちこっちに置いてあるんだよね。あれもキュレーションのひとつだと思うけど、アメリカのレコード屋、何もないもん、そんなの。

自分で知ってろよみたいな感じで。

中野　そういうんだって人手かかってますもんね。丁寧ですよね万事が。

デーブ　ある意味では親切。日本のテレビのテロップもそうじゃないですか。誰々は何年生まれとか、職業は何とか。桑田佳祐がミュージシャンとかジャズはニューオーリンズで生まれたとか、わかってるよ、そんなの。日本のテレビも説明過剰なんですよ。

中野　スポーツ実況とかも違いますか。

デーブ　スポーツ番組もそうね。日本はデータがもう画面いっぱいにあるじゃないですか、空いてる場所がないですよ。アメリカの知り合いが日本のテレビを見た時、「あれは耳が不自由な方のため？」って真面目に聞いてきて。

中野　そうか、too much なんだ、情報が。

デーブ　そう。みんなびっくりするのは、時間の表示があって番組名、サブタイトル、有名な人でも名前出てるし肩書きもあるし、下に「引き出しスーパー」もあるし。

中野　テロップがいっぱい。

デーブ　でもアメリカでは出さないですよ、ゲストの名前。ニュースでは出します、専門家とかふつうの人が出てきたら。でもトム・ハンクスとかそんなのいちいち出さない。

中野　それはそうか。

デーブ　日本はある意味では親切、ある意味では過剰。それ何でかなと思ったら、やっぱり漢字に由来してるんじゃないかな。漢字って親切じゃない、馬へんとかさんずいとか絵がついてるから。

中野　そうか、ピクトグラム的だからですね。

デーブ　なんでもそう。『ワイド！スクランブル』のパネルとかも本当、丁寧だし親切ですよ。

中野　確かにあれ、学会発表みたい。私だったら自分の研究を佐々木亮太さんに発表してほしいです。

デーブ　あの人、家でもめくりやってるのかな。

中野　想像すると面白い絵ですねそれ。でも確かにその違いは面白くて、私が大学院の時の先輩の研究でそういうのがあったんですよね。欧米の言語は音の言語だと。表記する際は表音文字を使う、つまり耳の言語なんですけど、東アジアの言語は漢字使うから目の言語なんだと。

人間って文字を読んだ時、音に直して理解するんですね。文字の理解より音の理解の方が先なんです。でもそれって、文字を見てから脳内で意味に直すまでに1回、音を経由しなきゃいけない。ところが文字から音に直す脳の機能が損なわれてると、すごく読むのが遅くなっちゃう。つまりディスレクシア［文字の読み書きに限定して生じる学習障害のひとつ。読字障害や識字障害と呼ばれることもある］です。

デーブ　そういうことなんだ。

中野　潜在的には10％くらいの人がディスレクシアなんですよ、実は。でも日本では少ないんです。

デーブ　言わないだけかもしれないんじゃなくて？

中野　それもあるかもしれないけど、漢字があるおかげで顕在化しにくい。

デーブ　そうかそうか。目で見てわかるから問題ないんだ。

中野　そうそう。

過剰な親切

デーブ　日本ってだから過剰に親切というか、新幹線のアイスクリーム、有名じゃないですか。

中野　硬くてね。

デーブ　必ず、「たいへん硬くなっておりますので、少々お待ちになってからお召し上がりください」って言うんだよね。知ってますよ。何度も食べてますよ。
　時刻通り出るのに「たいへんお待たせいたしました」って、待ってないんですよね。別に。飛行機で日帰りで福岡行った時、ボールペン書けなくなったから、いけないんだけど前のポケットに捨ててったの。そしたら帰りの便でCAが「先ほどお忘れになったボールペンでございます」って返してきた。「そこまでやる？」って思った。
中野　日本はそう、そういう感じ。本当そういう感じ。
デーブ　でも例えばカレーライスとか食べるでしょ？　明らかに食べ終わってて、ごはんひと粒もないのに「お下げしてよろしいですか」ってもう、いやいや、今から舐めようと思ってますってないじゃないですか。会話してるのに邪魔じゃない。あれが嫌。
中野　なんか話しててめちゃくちゃ盛り上がってるのに、「こちらシーザーサラダでございます」って、頼んだんだから知ってるよ！ってなる。
デーブ　見りゃわかるよってね。しゃべってなければまだいいけど、臨機応変さがないよね。
中野　その辺はちょっと思う。

デーブ　アメリカとかもうほっといてくれるじゃない。チップ欲しいからわざとサービスする人もいるんだけど、明らかにこう話しかけられたくない人にはいちいち言わないですよ。まして、しゃべってるのに割り込んだりとかは絶対しないですよ。

新幹線、もうしょっちゅう乗ってるんで、「この頃、スリ・置き引きが多発しております」とかってアナウンス流れるじゃない？　この頃かな、このところかな、20年くらい同じこと言ってるからなんか説得力ないっていうか、いや最近もいたのかもしれないけどね。

中野　誰かの会社とか大学に訪ねていって、受付で書類を書かなきゃいけないことあるじゃないですか。名前とか入場時刻とか。私は紙をちょっと斜めにした方が書きやすいから斜めにして書いてるのに、ちょっと目を離すと直す人がいるんですよ。え？と思うんですよ。何すんですかって。

デーブ　いるね、受付の人とかでね。

中野　まっすぐじゃなきゃ書きにくいでしょって気配りなんですけど、それは残念ながら私にとっては気配りじゃないという……。

デーブ　そういうマニュアルがあって自動的にやってるとかね。

中野　アピールという意味もあるかもしれない。気の利く女として。日本では気の利く女っていうのは気の利かない女よりも上にいるので。

デーブ　困ってる人がいるのに冷たい人間だと思われたくないとかね。

中野　ありがたいことではあるんですが……、ほっといてくれ、ってこともね、ありますよね。

デーブ　だけど、過剰にせよ、それが日本流のサービス、おもてなしってところもあったわけじゃないですか。そういうのできなくなったらどうすんのかな？とも思いますよ。

中野　実際、観光サービス業の人手不足、コロナ後にさらに深刻になりましたもんね。おしぼり出なくなったらどうしようとか。海外からの観光収入だってほしいのに。

日本人気の勘違い

デーブ　それで言うと、海外の注目が高まって日本って今大人気なんですよ。

中野　円が安いし。

デーブ　もう観光王国になってる。安倍政権の政策の影響もあるんですけど、面白いんですよ、日本って。

例えば、必要ないのに工事現場の前にいるじゃないですか、イラストのおじさんが。頭下げてて。ご迷惑をおかけしますって。別にあのイラスト必要ないでしょ？　必要ないでしょって言ったらおじさんかわいそうだけどさ、ここ通れませんってわかればいいだけなんだから。でもあれ可愛いねって、外国人がみんな写真撮るの。

中野　ああ。

デーブ　薬局の前に、カエルのあれ、何だっけ。

中野　ケロちゃん。

デーブ　そうそう、あれ面白いじゃないですか。ああいうのですよ。カーネルおじさんも、ふつういないもん、アメリカに。立ってないんです、ＫＦＣの前に。

中野　そうですか？

デーブ　でもそれが面白いから、みんな写真撮る。不二家の前にペコちゃん立ってるじゃない。ああいうマスコットだらけとか、蠟細工の料理とか食品のサンプルとか、日本人は当たり前と思ってることがガイジンは面白いわけ。

中野　ふふふ。面白いなあ。

デーブ　ところが今は間違いなく、日本人がそういうことを意識するようになってしまったんです。何でそれを僕が警戒するかっていうと、今までの日本が面白かったのは、それを意識しないでやってこられたからなんですよ。

意識してしまうとあれと同じなんです、クールジャパン。クールって言っちゃダメなのよ、自分で。フランスみたいにずっと観光やってる国はいいんですよ。フロリダのディズニー・ワールドとかね。日本はそうじゃないの。独自に知られないまま、無意識で面白い国だったのに、外に知らせると、あるいは自分で意識するともうおしまいでしょ。

中野　日本人は自己肯定感低いから、褒められたら必要以上にがんばるとか、図に乗っちゃうっていうのは、正直あったでしょうね。

デーブ　図に乗るのもダメ。いいの。もう放っておけ、放っておきな、言うなって。自然のまんまがいいんですよ、ありのまま。日本はもうそのままだから面白いんですよ。

「おもてなし」の勘違い

デーブ　もう滝川クリステルが許せないのは、ニュース番組で斜め45度でニュース読んだとかそういうことじゃなくて、「おもてなし」と言ったから。クリスタルが日本をダメにした。

中野　クリステルですよ。あと、「おもてなし」と言わせたのは代理店とかじゃないですか。

デーブ　今もうどんどん増えてるね、小泉純一郎とスティーブ・ジョブズと、今、滝川クリステルが仲間入りしたんだけど、なぜかと言うと、それまでは「おもてなし」という言葉、あんまり使ってませんでした。

中野　おもてなしとは、裏があるなり。

デーブ　表がないからね。裏だけだよね。それもあるけど、おもてなしって言葉、それまであんまり使ってなかった。ところが流行語大賞まで取っちゃって、流行っちゃって、サービス業の人が、日本人に対しても外国人観光客に対してもおもてなしがどうのこうのと言うようになった。それ、ダメですよ。人に言うもんじゃない。

中野　ああ、そういうこと。気持ちですからね。相手が思うものであって、自分が言うものではない。

デーブ　昔、テレビ東京の豪華旅館の番組があったじゃないですか。それで石川かどっか行ったんですよね、すごい旅館に泊まったんですよ、15階建てとか12階建てとかの大きい旅館。そこのロビーにポスターがあって、旅館の従業員全員が同じ色の着物着て、旅館の前の砂浜でお辞儀してるんですよ、もう100人ぐらい。すごい写真ですよ。僕にしてみたらもうとんでもない写真。何か『ハンドメイズ・テイル』みたいですよ、何だっけ、日本のタイトル。

中野　はいはい、私も読みましたよ、『侍女の物語』。

デーブ　それ。恐ろしいですよね。それはいいんだけど、写ってる皆さんね、当たり前だけど違和感ないの。だって今度ポスター用の写真撮りますから、皆さんいつもの着物着ていただいて、外出て下さいって話でしょ。何も意識してないから素晴らしいんですよ。

中野　わかる、言語化しちゃいけないんですよね、そういうのね。

デーブ　そう、それを意識させたらもうおしまい。

中野　うん、格好悪くなっちゃう。

デーブ　もうほかの国みたいになっちゃうの、意識しちゃうと。わかる？

中野　せっかくの天然キャラだったのに、自分でキャラを押し出したら面白くも何ともないという。

デーブ　自分を天然ですって言う人に面白い人いないじゃないですか。

中野　その時点で天然じゃないしね。

ティッピング・ポイント

デーブ　日本が注目されるほど心配事が増えてるっていうね、大きいお世話ですけど。

中野　いやいや、でも本当にそれはあって、昔ね、あるアジアの国の女の子で、彼女は日本で育ったこともあって、日本語をしゃべるのだけ聞くと日本人としか思えないくらいうまいの。その子に、おもてなしするから、と言われて、彼女のおうちに行ったんですね。けっこうカジュアルなおもてなしで、まあまあざっくりしている。割と大雑把な感じなんだなって思って帰る時に、「これが私の国のホスピタリティよ！」って言われて、おお、新しいなってなったのを思い出した。

デーブ　日本の面白さって、僕、あんまり言わないほうがいいと思う。今インバウンドでいろいろ言われてるけど。英語表示、中国語表示くらいあった方がいいけど、ハングル、スペイン語、ロシア語、いらないよ。

中野　今すごい多言語になってますよね。

デーブ　迷子になったほうがいいよ、迷子に。それで迷った人に親切にする日本人のホスピタリティがおもてなしでいいじゃない。

中野　わかるわ。廃墟を整備するともう魅力が失われるみたいな。

デーブ　我慢してでもそのまんまにしておかないと、シンガポールみたいになっちゃわないかと思うんですよ。完全に作られた観光業の国になって終わりだっていう。

中野　ああ。

デーブ　そうなると日本にリピーター、そんなに来なくなりますよ。特に欧米人が。シンガポールは観光立国で成功してるけど、来るのはインドネシア、インド、マレーシアってご近所だもの。カジノあるし。日本の外国人観光客は、何かのぞきに来てる程度だったんですよ前は。いいんですか？　お邪魔して、みたいな感じで。そうやって自分でいろんなもの探して、見て、写真撮って帰ってたんだから。今は何かあまりにもオーバーに日本側が言ってるから。

中野　確かに。何か不自然ですよね。

デーブ　今は観光客ばっかりじゃないですけどね、外国人が増えてるのは。

中野　外国人労働者も今は多いです。2022年の数字が最新ですけど、過去最高の182万人を記録。2018年のOECDの外国人移住者統計では世界第4位。少子化も手伝って、もう外国人労働者がいてくれないと回らない状態ですよね。

デーブ　僕が言うのも変だけど、外国人、増えすぎても日本はぽしゃるんじゃないかって思うんですよ。今まではなんとかこれでも日本としての統一感保ててたけど、外国人増えすぎるとさらにバランス崩れるんじゃないかって。ティッピング・ポイントって言いますよね。臨界点。外国人何割超えたらバランスが崩れるのかって思ったりするんですよね。

他の国はそんなこと言ってられなくて、移民が多すぎるぐらいでむしろコントロールしてるけど、どこまで入れればいいのかは悩ましい。

中野　移民を入れて成功している国ってなくないですか。ありますか？

デーブ　アメリカ。全員移民だから（笑）。でもまじめな話、人口減ってるから移民はどこの国も必要なんですよね。だからね、話戻るけどやっぱり少子化なんとかしなきゃいけない。

青年よ、恋愛せよ

デーブ　今の少子化対策ってだいたい、結婚からか出産してからじゃない。

中野　問題はむしろ出会いですよね。

デーブ　そうそう、出会いと恋愛、そこに必要性感じなくなったらおしまいじゃないですか。恋愛って日本語ね、僕、大好きなの。誰が恋愛っていう漢字を作ったのかな。すごく賢いと思うのは、恋愛って恋に落ちて、その後、恋が冷めて愛になるじゃない。よくわかってるよね。すごいなと思う。

中野　うまいワードですね。あれね、確か love の訳語として誰か学者が考えたんですよ。

デーブ　素晴らしい発想だと思う、わかってるよね。あと日本で大好きなのは夫婦岩。

中野　夫婦岩？

デーブ　あれ最高ですよ、荒い海から守ってあげる。今、若い、有色男子？

中野　有色男子ってなんですか。

デーブ　草食か。

中野　草食男子。

デーブ　草食男子が女子を荒い海から守ってあげる、そんな場面ある？　だからみんな修学旅行行くべきですよ。夫婦岩見た方がいい。あと高倉健。寡黙で、炬燵に座って、おいしそうに料理食べる。口に出さないけど、それが愛してる証。死んだ後に手紙が届くとかでもいいよ。

中野　高倉健、格好いいですよね。

デーブ　それを日本の美徳と見るかどうかは別として、そういうものがなくなりつつあるんですよ。悲しい。

中野　まあ変わってきてますね。

デーブ　だからどっかで止めないと。僕は、だから昭和に戻した方がいいと思う。もう令和やめて。アンナミラーズ復活してほしい。

中野　いや、それはちょっと私は違ってて、もう変わるものは仕方ないと思ってしまうんです。むしろその中で、何を守るべきなのか、残した方がいいものはどれなのかを見た方がいい気がします。ただ、出会いとか恋愛とか言っても、若者たちにその気があるのか。

デーブ　そう、それ言おうと思って。去年の内閣府の「男女共同参画白書」。20代独身男性の4割が「デートの経験がない」！

中野　わかる気もしますけどねえ。20代独身女性だとデート経験ゼロの人は約25％。30

代でもゼロなのは独身男性が約35％なのに対して独身女性は約20％。
デーブ　どういうことなんですか？
中野　恋愛弱者はだいたい3割ぐらいはいるんですよ昔から。だから実はあんまり割合としては変わってないんですよ。
デーブ　昔から？
中野　80年代ぐらいからずっと3割ぐらいはデートしたことない人はいて、今それがコロナもあって出会いも減って、ちょっと増えて4割になったっていう。
デーブ　増えた1割がLGBTQってことはないかな。人口比だと1割くらいでしょ。
中野　内閣府の発表は特に性について触れてないんですよね。「デートした人数」「これまでの恋人の人数」ってあるだけで、特に「異性」とか書いてあるわけじゃないので。
デーブ　そうか、ある番組の収録で若い人の話聞いたんだけど、いや、今趣味が多いと。
中野　ああ、それはそうだわ。

趣味が恋愛を遠ざける

デーブ　デートしても、iPhoneばっかり見てるじゃないですか。

中野　またスティーブ・ジョブズのせいにしようとして。でも、相対的にデートがあんまり面白くなくなったっていう問題はありますよね。

デーブ　だって1対1で会話しないといけない、くたびれる。あんまりしゃべらないじゃない、みんな。しゃべり下手になってる。話題はもうメールかLINEですでに済んでる。友達と会っても、話すことあんまりないんじゃないと思う。

中野　一緒にいる意味が今、あんまりないんですよね。

デーブ　前は喫茶店行ってさ、話してたりしてたじゃない。僕も本当に仲いい友達と、毎週日曜日、やっぱり会ってましたよ、いわゆるブランチで。もう今、ないけど。

それだけじゃなくて、やっぱり趣味が今、いっぱいあって、ゲームやってる人もいれば、Netflixの配信いっぱい見なきゃいけないものがあるからデートしたくないって人もいる。僕だって、夜、特にどこも行きたくない。

中野　そもそも、会って話して面白い相手ってそんなにいないんですよ、実は。

デーブ　でも若ければ結婚相手、もしくはエッチする相手、ほしいじゃないですか。だから段取りとして必要じゃないですか。

中野　それもマッチングアプリとかで済んじゃう時代になりましたしね。私は使ったことなのでよくわかってないですけど。でも今はふつうですよね。

デーブ　結婚だって不自然に作った制度だとは思いますよ。要するに、社会が乱れないための言い訳だよね。

中野　不自然ですよね、それは本当にそう思うんですよね。

デーブ　エッチする正当化。でも子供を作るためにエッチは必要じゃないですか。どうしたらいいんですか。

中野　結婚を前提としない仕組みの方が、子供を増やそうと思ったら有効だと思いますけどねえ。

デーブ　フランスみたいに。

中野　そうそう、結婚してない親の子供も、ちゃんと支援しますという社会的な仕組みを作らないと難しいんじゃないですかね。

デーブ　でもそうしたら父親不在になると、育てる時のバランスよくないね。

中野　父親からは税金を多めにとるとか？　出産の負担がない分。

デーブ　でも最近、子供を虐待したり、遺棄するシングルマザーの事件が起きてるよね。

中野　増えてますよね。霊長類の社会って、はぐれオスはいるんですけど、はぐれメスって本来いないんですよ。なぜなら集団で面倒を見るから。子供とメスを。人間だけ例外で、はぐれメスがいる。はぐれメスになってしまって集団から追い出されるとエサや寝る場所にも困るわけですが、子連れのはぐれメスとなるとさらに困窮するわけですよね。

共通体験の減少

デーブ　番組のスタッフとか見てても、お互い誘ったりしないって。話しかけられないし、ナンパもしない。

中野　そうなんだ。まあでも今同じ組織内だとセクハラだ、パワハラだって言われるリスクもあるでしょうしね。

デーブ　つまらないよね。野良猫は羨ましいよね。ちょっと顔合わせれば、もうできちゃう。映画見に行く必要ないもん。

中野　私は割とコンプライアンスというものが言われ始めてからテレビに出てる感じなので、テレビの現場でそういうことはやっちゃいけないもの、という感じはありますけどね。

デーブ　そうか。#MeTooもあったしね。アメリカでは「これからする性交渉に同意します」というアプリができたんだって。「YES to SEX」っていう。パートナーの合意を示す音声を最大25秒残せて、サーバーに1年間保管してくれるんだって。証拠ですよね証拠。同意の証拠を残さないと訴訟になるって言うね。

中野　事前に？

デーブ　引くよね、それね。思うんだけど、日本の恋愛感覚で一番好きなのは南こうせつの「神田川」。大好き。

中野　50年ぐらい前の感じですよね。

デーブ　あの歌、すばらしいですよ。若い人に「これ聞いて」っていつも言ってるんです。だって、お金も娯楽もない時代、エッチするしかないじゃない。どんな国だってそうですけど。だからものすごく恋愛に燃えてる、学生運動とかね。あれもお金がかからない。純粋。

中野　確かに。宗教運動もそうでしょうね。

デーブ　そうそう、でも今「神田川」みたいなロマンチックなのはないじゃないですか。カタカタ石鹸鳴って、あり得ないですよ。

中野　ないないない。

デーブ　まずiPhoneばっかり見てるから赤い手ぬぐいにも気づかないし。

中野　手もつなげないですよね。端末操作してると。

デーブ　昔のウォークマンだったらイヤフォン二人で分けてユーミン聞くとかね。

中野　ああ、あった、あった。

デーブ　今だったら、てめえの好きな曲とか聞きたくねえよ、馬鹿野郎っていう感じになっちゃうけど。だから娯楽があり過ぎてお金もあると、優先順位がやっぱり変わる。貧しい時こそ、愛が生まれやすいんですよ。

中野　今の日本は共通の体験の方が貧しくなってるのかもしれませんねえ。

デーブ　そうだね。

中野　共通の体験をしたくない、むしろみんなで自分のコクーンの中に入ることを選ぶ。そういう感じですよね。

デーブ　コクーンね、繭。コクーニングっていう社会現象言われてたよね、確かに。

中野　そうそう。ますますそうなってて、テレビは個人向けじゃなくて一般向けだからその繭の中に入っていきづらいところはあるかな。

デーブ　テレビって共通体験か。そうかもね。だったら真逆だねコクーンと。

ナンパもできない

デーブ　もうさ、ここまで人が人を求めない時代になっちゃうと、僕なんか狂っちゃうよ。もう恋愛しにくいって、悲しい。やっぱり僕思うのは、ｉＰｈｏｎｅがいけない。スティーブ・ジョブズが地球をダメにしたと思うよ。本当にそう思う。そう思わない？　スマートフォンがある時代と、ない時代、全然違うでしょ。

中野　全く違う。でも、昔のことをすでに思い出せなくなってきてます。

デーブ　ガラケーの時はさ、まだ話してたじゃない？　長電話したりさ。電話でラチがあかないと「会おうか」とかって。

中野　今、長電話しないですよねえ。ただ、現代を共通の体験が貧しくなった時代っていうくくり方で見ると面白いなと思ったのは、どんどん共通の体験が減っていけば、話せることも減っていきますよね。

デーブ　そうだね。

中野　話せることが減れば、話すこと自体が楽しくもないし、会ってもしょうがないし、なおさら共通の体験が減るし、そりゃ恋愛も減るわっていう循環が生まれちゃいませんか?

デーブ　うん、そうかもね。どんどん人に会うのがつまんなくなってくね。家でNetflix見てるよ僕なら。

中野　本来だったら、違う情報を与えてくれる相手というのは面白いはずなんだけど、面白いのベースがそもそも違っちゃってきてるのかもしれない。同じ国に住んでいるのに、同じ言語を使ってるのに、違う世界にいる。

デーブ　自分の趣味を自分で決められるじゃないですか、今。共通の趣味って、ほんとリアルで探すのは難しい。同じバンドの追っかけで知り合ったとかなら別だけど、なかなかないですよ、そういうきっかけが。

中野　共通項を他人と持ちづらくなっちゃってるのかな。

デーブ　昔、最後のナンパ黄金時代ね、あ、僕、ぜんぜんナンパ悪いと思わない。だって動物だから人間は。偶然も大事。それでツタヤとかビデオ借りに行く時、隣の人とかに話しかけやすかったじゃないですか。これ面白いですかとか、それ迷ってるんですか、いいですよそれとか、今ないよそんなの。何この人?ってなっちゃうよ。

中野　女の子も「お詳しいんですか」とかっていけたら出会いになるでしょうけどね。かつては女の子もいってたんですけど。

デーブ　でも今、怖くて言えないよね。何かの商売？とか思っちゃう。

中野　そう、確かに昔は「何か買ってみたいんですけど、わからなくて」とかそういうの言えたんですけど、今、言えないの。不審な人と思われそうで。

遺伝子の交換は情報の交換から

デーブ　僕、いまだに、まあまあ顔バレてるから言いやすいけど、エレベーターとか、必ず知らない人に話しかけるもん。

中野　それがでもデーブさんの仕事術で、もう私、あと5年ぐらいしたら真似したいんですけど。なかなか真似できない。

デーブ　例えば、マクドナルドのすごい袋持ってると「食べ過ぎだよ」とか。必ず言うんだよ。みんな言わない。みんな、こう、黙ってエレベーター乗ってる。

中野　基本突っ込むんですね。

デーブ　そうそう、話しかけようと思えばできるのに、みんなストップしちゃう。巨人の帽子被ってる人とかいたら巨人ファンですかとか。まああんまり見ないけどさ。言わないじゃない、自分が巨人ファンでも。

中野　まあそうでしょうね。

デーブ　そういうことをみんなしないにしてもさ、新年会も忘年会も合コンもやった方がいいんですよ。コロナでわかったでしょ。オンライン飲み会きつい。ね。新年会も忘年会も会社の飲み会も日本っぽいけどさ、日本らしさってどこで受け継がれていくのかなって思うんだよね。日本の社会がどれだけ変わってもさ、人の集まりっていうのは一種、情報伝達の場所だし、人がいなければ社会にならないし。国にもならないじゃない。それに出会いの場所でしょ、独身の人には。子供を作るためでもあるわけでしょ。だってみんな野良猫みたいなもんなんですよ。自然交配の目的もどっかにあるわけだから。

中野　それはねえ、思わないではないんですよね。そもそも有性生殖って遺伝子の交換なので、情報の交換というレイヤーがあるんですよ。遺伝情報の交換ですから、われわれの遺伝子って実はＤＮＡの配列だけではなくて、環境情報でも書き換わっていくんですね。認知的な情報の交換というのも必要で、そういう意味では、書籍とか文字の仕事ってすごく意味があるわけです。そうやって情報の交換を行うことで多様性を保持して、健全なコミュニティを作ってきたので。それができなくなりつつあるっていうのは、確かに危機感が大きいですよ。

デーブ　メイクだって一種のやっぱりオスを誘惑するためのものでもあるじゃないですか。サルのお尻が赤いのと一緒。クジャクの羽と一緒。あれオスだけど。人間もただの動物ですよ。忘れちゃあかん。だから僕も全裸でいたほうがいいと思う。

中野　もう。それは公然わいせつですよ！　でもね、確かにテレビがなぜ見られなくなったか、とか、なぜ人を攻撃する人が増えたか、とか、どうしてカルトにはまってしまうのか、とか、それこそどうして少子化が進むのか、というのもその視点から眺めると見えてくるものがある気がしますよね。

私もエレベーターの中で人に話しかけるところから始めてみますかね。なかなか真似できそうにないですけど。

デーブ　ま、コンプライアンスの範囲で！

おわりに

中野 信子

本書の企画が始まったのは2022年の春のことでした。新潮新書で『不倫と正義』という三浦瑠麗さんとの対談本が出てすぐのこと、デーブさんが雑談で「僕とも本を作ってくださいよ！　あれと同じ形で……タイトルは『日本を斬る』か『日本に軍配』で！」と仰ったのでした。

ジョークとも本気ともつかぬお話だったのですが、デーブさんはそれまでずっと「本はちょっとなあ」と本を出すことに消極的でした。こんな風に仰るのは珍しいな、中野とだったらいい本を作れると思って下さったのかなと思ったこともあり、すぐに新潮新書の編集者に相談しましたら、「それはぜひやりましょう」という返事。

以来、『ワイド！スクランブル』の放送が終わった後の時間などに、デーブさんと「対談」をすることになったのでした。

デーブさんとは『ワイド！スクランブル』で出演曜日が重なるようになってから、オンエアの合間を縫うように何かとお話はしてきましたが、「対談」という形でお話をしてみてわかったことがありました。

こういう場面でもデーブさんはデーブさんなのだなあということです。

いつもダジャレを忘れない、ご自分のことを語りたがらない、議論をまぜっ返すし、凡庸な結論に飛びつかない。

対談をまとめた人はたいへんだったと思います。

デーブさんは本当に頭の回転の速い人です。芸能界やテレビ界に限らず膨大な知識量と知識欲があって、しかも口が回る。心から「なかなかここまでテレビ向きの人はいない」と思わされるのですが、脳内でおそらく火花のように次々とアイディアが閃くのでしょう。それらを余すことなく伝えるためか、議論のペースがおそろしく速い。しかもそれを母国語ではない言語でよどみなく繰り広げるのですから、すごい人です。

同時に、改めて感じたこともありました。

デーブさんはつくづく、日本や日本人がお好きなのだなあということです。南こうせつの「神田川」がお好きだったとは知りませんでしたが、70年代に初めて日本にいらしたこともあるのかもしれません、ウェットであったり不合理であったりもする日本の情緒や日本人の心性をよくよく理解された上で発言をされているんだなということがよくわかりました。

中でも「サラリーマン」という語に代表される日本人の帰属意識は、本書がテーマとした「忖度」や「コンプライアンス」、「タブー」といったところと深くかかわると思うのですが、日本の会社をよく勉強したとご自分でも仰っていたように、デーブさんならではの日本や日本人に対する深い洞察がなければ本書は成立しなかったと思っています。デーブさんは本当に特殊工作員ではないんだろうか？とも思わされましたが。

デーブさんも「はじめに」で書いておられるように、デーブさんと中野の意見が必ずしも一致していない部分も当然ながらあります。デーブさんがある種の懐かしさを込めて、「古き良き日本」への回帰を呼びかける場面がありますが、中野は個への分断が進む日本の未来を肯定も否定もしていませんし、個人的には、個が個であれる現在を過去よりはありがたいと思っているところもあります。同じ時間、同じ空間、同じ秘密、同じ暗黙のルールを共有している間柄の人間同士に生まれる絆のベースになる脳内の化学物質は、オキシトシンという超有名なペプチドホルモンです。そして、この物質が介在して構築される絆というのは2人だけの間にとどまるものではありません。複数の人の間に形成される「仲間」「ファミリー」「組織」といった集団——準拠集団となるその群の内部に生じたルールは、社会一般のルールよりも優先される傾向があります。なぜなら、内部のルールを優先した人のほうが、その集団の中では、優位に立ちやすくなり、力を持つことができるようになるからです。それがどんなにおかしなルールであっても、むしろルールがおかしなものであればあるほど、認知的不協和が生じるためによりその集団への帰属意識が高められ、内部の絆は強化されることでしょう。わかりにくく書きましたが、共犯者意識が芽生えるとでも言い換えれば当たらずとも遠からずといったところでしょうか。

ここまで書けば、理解の速い人は、もう中野が何を言いたいのか、大方わかるのではないかと思います。テレビに象徴されるようなメディアの華々しい世界は、光の当たるところです。だからこそ、その国の闇も色濃くそこに反映される。これは日本だけの話でもなくテレビに限った話でもありません。アメリカだって何の憂いもないユートピアかといったらそうではありません。人間のいるところでは必ず何か困ったことが起こるのです。

流動性の低いコミュニティの関係性の内部で自然発生的に生まれるルールの、恐ろしいほどの支配力は、どんなに口を酸っぱくしてコンプライアンスだのなんだのと言ったところで、私たちが人類である限り、弱くなりようがないのです。私たちが毎日、食事をとり、呼吸をし、眠りにつくのと同じくらい、制御しようのないことです。もちろん多少は意志の力で調整ができないことはありません。けれど、永続的に無くそうとしたり、一瞬たりとも途切れること無く完全にコントロールしようとしたりするのは不可能です。

こうしたどうしようもない人間の姿を、動かしようのない事実として目の当たりにしたとき、人々の取る態度としては大まかに3通りに分かれます。

あきらめる人、戦う人、楽しむ人、の3つです。

あきらめる人はとてもよく見かけるはずです。世の中にはなんとバカが多いんだ、ひどく劣化している、と言って嘆く人です。自分を棚に上げて嘆いているところがほのぼのとおかしみをさそうようすに温かみを感じますね。

そして、戦う人は、モラハラスレスレのことを自分がしているのに気づかず、新しい対象を次々と見つけて戦い続けている人です。こちらも昨今よく見かけるようになったかもしれません。でも、ずっと前からいたのです。

正義を振りかざす快感に溺れ切って自由になれないまま揺るぎない正しさへと向かう欲望を開陳してやまない姿にはどことなくエロみすら感じないでもありません。こうした正義中毒の人は、ルールを破っている人を見つけることに一生懸命で、少しでも外れた人がいれば喜び勇んで戦いに行くのです。ただ、こうした方が気持ちよくなっているその行為のおかげで世の中がよくなるということはたぶん1ミリもないでしょうけど……。

最後は楽しむ人です。デーブさんはこのタイプです。一番得するやり方です。簡単にできるようですけれど、意外と難しい。人間観察力と知性がないと、こういう態度をとることは難しいでしょう。

どうしようもない人間の業を嫌というほど目の当たりにしてなお、ギャグを言い続け、少しでも明るく毎日を過ごすことを、呼吸をするように自然にやっている人なのです。

デーブさんは子役の経験をお持ちで、ケロッグなどのCMに出演、3社とエージェント契約をしていたといいます（子役時代の顔写真が載っているTシャツを私もこっそり買って持っています）。デーブさんとメディアとの付き合いはもう半世紀以上になるわけで、複数の文化圏にまたがって、人間の闇を見続けてきた人でもあります。

その人が発する言葉は、何でもない言葉であっても、選び抜かれた言葉であるのです。もちろんデーブさんは何でもない顔をしてそういうことをするのですが、まるで武芸の達人のようにも見えてきます。

本書は、人を選ぶ本です。何ということもない会話としても読めますし、一言一言の裏側に、その言葉を選んだ意味があるとして深読みすることもできます。

どちらが得か、みなさんのお好きなように楽しんでいただければと思います。

本書を手にされたみなさまが闇を前にした時、それを悠々と楽しんで生きていくことができますようにと念願しつつ筆を置きます。

中野信子　1975（昭和50）年生まれ。脳科学者。医学博士。東日本国際大学教授。東京大学大学院医学系研究科脳神経医学専攻博士課程修了。著書に『脳の闇』『毒親』など。

デーブ・スペクター　アメリカ・シカゴ出身。TVプロデューサー、タレント。世界の情報や番組等を日本に紹介、情報番組を中心にコメンテーターとして活躍。

Ⓢ新潮新書

1014

ニッポンの闇（やみ）

著　者　中野信子（なかののぶこ）　デーブ・スペクター

2023年12月20日　発行

発行者　佐　藤　隆　信

発行所　株式会社 新潮社

〒162-8711　東京都新宿区矢来町71番地
編集部(03)3266-5430　読者係(03)3266-5111
https://www.shinchosha.co.jp
装幀　新潮社装幀室
組版　新潮社デジタル編集支援室

印刷所　錦明印刷株式会社

製本所　錦明印刷株式会社

ISBN978-4-10-611014-6 C0230

価格はカバーに表示してあります。